Wielbimy Boga

Wielbimy Boga

Podręcznik do religii dla klasy V

„Jezus Chrystus –
wczoraj i dziś,
ten sam także na wieki”.

(Hbr 13,8)

KIELCE 2012

Podręcznik nr AZ-22-03/6-0 do nauczania religii rzymsko-katolickiej na terenie całej Polski, z zachowaniem praw biskupów diecezjalnych, przeznaczony dla klasy V szkoły podstawowej, zgodny z programem nauczania nr AZ-2-03/6.

Recenzenci:
ks. dr Radosław Chałupniak
ks. dr Tomasz Lenczewski

Recenzja literacka:
mgr Elżbieta Lubowiecka

Redakcja podręcznika:
ks. dr Tadeusz Śmiech

Autorzy:
Renata Brzoza
Bogusław Nosek
ks. Tadeusz Śmiech

Konsultacja teologiczna:
ks. prof. dr hab. Henryk Witczyk

Redakcja techniczna:
Marcin Satro

Projekt okładki:
Justyna Kułaga-Wytrych

Na okładce:
Modlący się Dawid. *Jacopo Filippo d'Argenta,* XV w., Ferrara, Muzeum Katedry.

Zdjęcia:
Archiwum Wydawnictwa „Jedność"

Za zezwoleniem władzy duchownej
OJ-67/03
Kielce, 16 maja 2003
Ks. Jan Szarek
Wikariusz Generalny

Wydanie czwarte

ISBN 978-83-7224-760-5

WYDAWNICTWO „JEDNOŚĆ"
25-013 Kielce, ul. Jana Pawła II nr 4
tel. 041 368 11 10
Dział sprzedaży 041 349 50 50
www.jednosc.com.pl
e-mail: jednosc@jednosc.com.pl

Druk i oprawa:
Drukarnia im. A. Półtawskiego
www.drukarnia.kielce.pl

Mój Drogi!

Rozpoczynasz kolejny rok katechizacji, w którym będziesz mógł razem z innymi odkrywać Boże prawdy. W klasie V będzie to rok, w którym poznasz Boży plan zbawienia w liturgii Kościoła. Bądź szczęśliwy! Bóg mówi do nas, jak kiedyś mówił przez proroków do czekających na Mesjasza ludzi. Dziś mówi tekstami liturgii, w której odpowiadamy na Boże słowo i Bożą miłość modlitwą, śpiewem, udziałem w życiu Kościoła. Uczestnicząc w liturgii, odkrywamy i realizujemy swe powołanie do szczęścia, które dopełnia się wiecznością. Bóg nas kocha, dla nas stworzył świat i wszystko na nim. Grzech pierworodny zniszczył istniejącą między Bogiem a człowiekiem miłość, dlatego przyszedł Jezus, oczekiwany Zbawiciel. Jego przyjście wspominamy w liturgii Adwentu, cieszymy się Nim w czasie Bożego Narodzenia. Dziękujemy Mu za odkupienie w liturgii Wielkiego Postu, by wielbić Go za Jego i nasze zmartwychwstanie w dniach Wielkiej Nocy.

Otrzymujesz do rąk podręcznik, który Ci będzie służył pomocą w odkrywaniu Bożych ścieżek i w chodzeniu po nich. Czytaj go, poznaj zawarte w nim słowo Boże, rozwiązuj zadania, módl się, by „słowo stało się ciałem" także w Twoim życiu, byś trwał w Jezusie jak w winnym krzewie. Jezus da Ci swojego Świętego Ducha, w którym będziesz mógł powiedzieć: Panem jest Jezus. Wierząc w Niego, przeżywaliśmy Wielki Jubileusz dwóch tysięcy lat od Jego narodzenia. Rozpoczęliśmy kolejne tysiąclecie. Niech Jezus pozostaje twoim Przyjacielem, abyś mógł zawsze Nim się cieszyć, a On Tobą. Dlatego proś często:

„Duchu Święty,
który oświecasz serca i umysły nasze,
dodaj nam ochoty i zdolności,
aby ta nauka była dla nas
z pożytkiem doczesnym i wiecznym.
Przez Chrystusa, Pana naszego. Amen".

ks. dr Tadeusz Śmiech

„Naucz mnie, Panie, Twej drogi,
bym postępował według Twojej prawdy”.
(Ps 86,11)

I
Z BOGIEM W NOWY ROK SZKOLNY

„Wszechmogący wieczny Boże,
niech Duch Święty, który od Ciebie pochodzi,
oświeci nasze umysły
i zgodnie z obietnicą Twojego Syna
doprowadzi nas do poznania wszelkiej prawdy".

(Mszał rzymski, s. 154)

1. Moje wakacyjne spotkania z Bogiem

Witaj!

Jak minęły wakacje?

Z pewnością żyjesz jeszcze wrażeniami, których doświadczyłeś podczas górskich wędrówek, nadmorskich spacerów czy w rodzinnej miejscowości wśród kochających cię rodziców i bliskich.

Spróbuj przypomnieć sobie, co czułeś, podziwiając urok zachodzącego słońca, wsłuchując się w szum górskiego potoku, patrząc na piękno otaczającego cię świata.

Czy potrafiłeś dostrzec ogromną mądrość Boga Stwórcy, który jest Bogiem żywym, obecnym w świecie?

Pismo św. mówi:

> „Głupi już z natury są wszyscy ludzie, którzy nie poznali Boga: z dóbr widzialnych nie zdołali poznać Tego, który jest, patrząc na dzieła nie poznali Twórcy, lecz ogień, wiatr, powietrze chyże, gwiazdy dokoła, wodę burzliwą lub światła niebieskie uznali za bóstwa, które rządzą światem. Jeśli urzeczeni ich pięknem wzięli je za bóstwa – winni byli poznać, o ile wspanialszy jest ich Władca, stworzył je bowiem Twórca piękności; a jeśli ich moc i działanie wprawiły ich w podziw – winni byli z nich poznać, o ile jest potężniejszy Ten, kto je uczynił. Bo z wielkości i piękna stworzeń poznaje się przez podobieństwo ich Stwórcę".
>
> (Mdr 13,1-5)

Chcąc doświadczyć wielkiej miłości Boga, musisz najpierw zaprosić Go do swojego życia. Przed tobą nowy rok szkolny, nowe zadania, obowiązki, trudności i problemy, ale także radość z odnoszonych sukcesów.

Biegacz, którego ambicją jest odniesienie zwycięstwa, potrzebuje solidnego treningu. Jeśli chcesz dobrze przeżyć ten rok szkolny, powinieneś się przygotować: oczyścić w sakramencie pokuty i pojednania, umocnić Eucharystią, rozpalić w sobie miłość do Boga wytrwałą modlitwą.

Potrzebujesz doskonałego trenera. Jest nim Jezus Chrystus. Jeśli pozwolisz Mu się prowadzić, staniesz na podium jako zwycięzca. Poznasz Boga i doświadczysz Jego miłości.

Pomyśl:
- Kim jest dla ciebie Jezus Chrystus?
- Kim będziesz w tym roku dla Boga?

Zapamiętaj:

„Ja jestem z wami przez wszystkie dni,
aż do skończenia świata”.

(Mt 28,20b)

Pieśń:

Pan jest Pasterzem moim.
Niczego mi nie braknie.
Na niwach zielonych pasie mnie.
Nad wody spokojne prowadzi mnie.

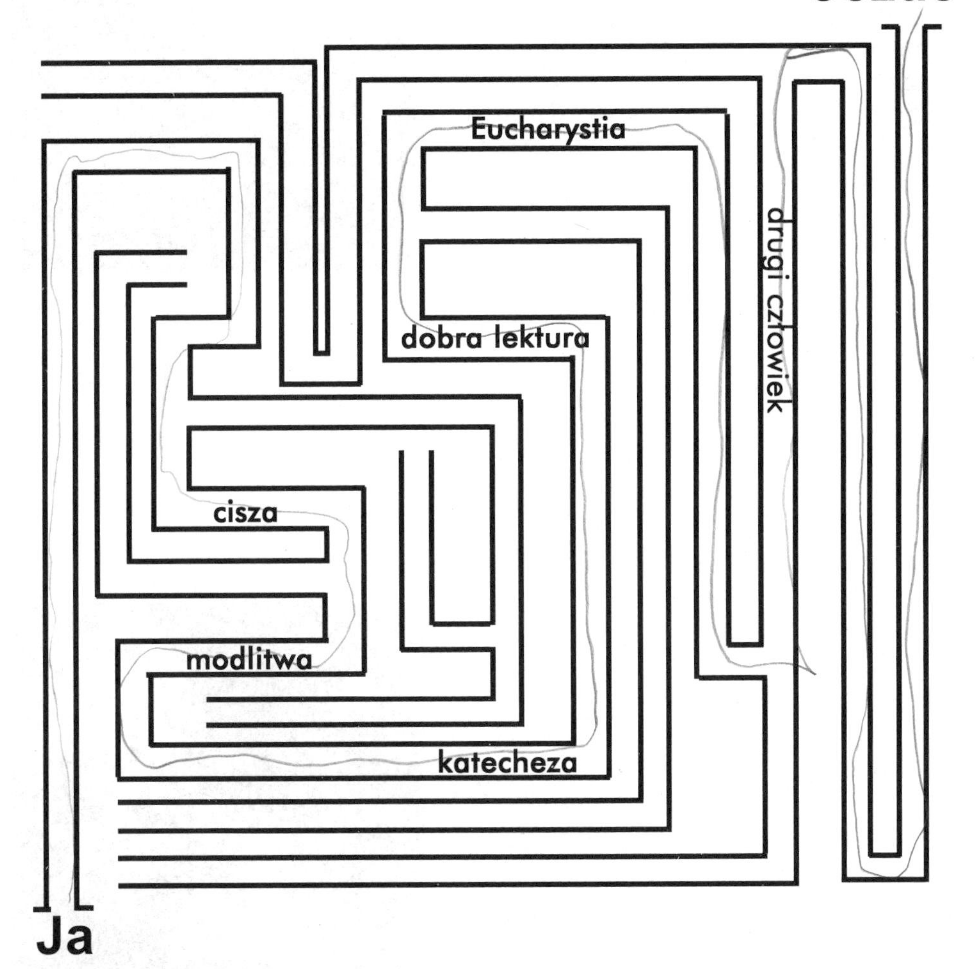

Zadanie:

1. Ułóż modlitwę, w której poprosisz Boga, by pomógł ci trwać w wakacyjnej radości przez cały rok.
2. Wklej do zeszytu wakacyjną pocztówkę i napisz o swoich spotkaniach z Bogiem.

2. Moje pierwsze piątki miesiąca

Bóg nas kocha. Posłał na ziemię Jezusa Chrystusa, który cierpiał, umarł i zmartwychwstał, aby potwierdzić tę miłość i otworzyć nam drogę do nieba. Tę ofiarę „dla nas i dla naszego zbawienia" Chrystus ponawia w czasie każdej Mszy św. Symbolem tej miłości jest Jego Serce, które na krzyżu zostało przebite włócznią żołnierza.

W Ewangelii św. Jana czytamy:

> „Gdy podeszli do Jezusa i zobaczyli, że już umarł, nie łamali Mu goleni, tylko jeden z żołnierzy włócznią przebił Mu bok i natychmiast wypłynęła krew i woda".
>
> (J 19,33-34)

Wdzięczni Chrystusowi za Jego mękę, śmierć i zmartwychwstanie, uczestniczymy we Mszy św. niedzielnej, dziękując z całym Kościołem za dar zbawienia.

Czy możemy zrobić coś więcej?

W XVII wieku Chrystus pokazał swoje przebite Serce zakonnicy – siostrze Małgorzacie Marii Alacoque, i obiecał, że wszystkim, którzy to Serce będą czcić i kochać, da niezliczone łaski.

Wyraził je w dwunastu punktach:

1. Dam im wszystkie potrzebne łaski.
2. Wprowadzę pokój do ich rodzin.
3. Pocieszę ich we wszystkich troskach.
4. Będę najpewniejszą ucieczką w ich życiu, a szczególnie przy śmierci.
5. Wyleję obfite błogosławieństwo na wszystkie ich przedsięwzięcia.
6. Grzesznicy znajdą w mym Sercu źródło i nieskończony ocean miłosierdzia.
7. Dusze oziębłe staną się gorliwymi.
8. Dusze gorliwe wzniosą się prędko do wysokiej doskonałości.

9. Będę błogosławił domom, gdzie obraz Serca mego będzie wystawiony i czczony.
10. Udzielę kapłanom łaski poruszania serc najzatwardzialszych.
11. Imiona tych osób, które szerzyć będą to nabożeństwo, zostaną zapisane w mym Sercu i nigdy zeń wymazane nie będą.
12. Ci, którzy będą przyjmować Komunię świętą w pierwsze piątki przez dziewięć miesięcy z rzędu, nie umrą bez łaski sakramentalnej.

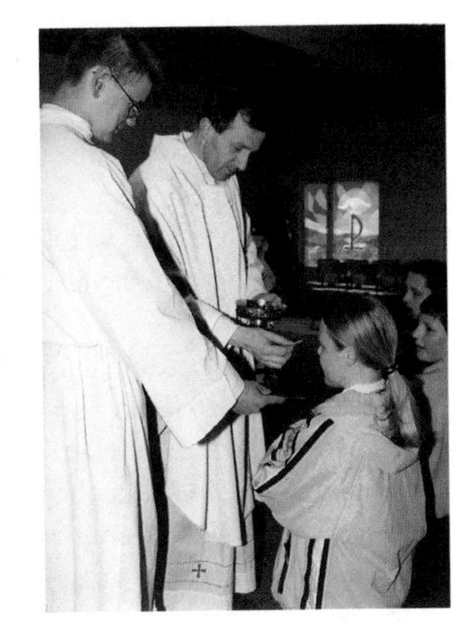

Pomyśl:

Jesteś w klasie piątej.

- Czy przeżyłeś już dziewięć pierwszych piątków miesiąca?
- Czy podejmiesz ten trud?
- Za kogo ofiarujesz Komunię św. w kolejne pierwsze piątki miesiąca?

Zapamiętaj:

Jezus prosi, abyś przez dziewięć kolejnych pierwszych piątków przyjmował Go do swego serca, wynagradzając Mu za tych, którzy o tym nie myślą. Możesz też pomodlić się słowami:

Boskie Serce Jezusa, ofiaruję Ci przez Niepokalane Serce Maryi wszystkie modlitwy, sprawy, prace i krzyże dnia dzisiejszego jako wynagrodzenie za nasze grzechy. Łączę je z tymi zamiarami, w jakich Ty za nas ofiarowałeś się na krzyżu i nieustannie się ofiarujesz na ołtarzach całego świata.

Pieśni:

Kochajmy Pana, bo Serce Jego
żąda i pragnie serca naszego.
Dla nas Mu włócznią rana zadana,
kochajmy Pana, kochajmy Pana!

* * *

Pobłogosław, Jezu, drogi
tym, co Serce Twe kochają,
niechaj skarb ten cenny, drogi,
na wiek wieków posiadają.

Za Twe łaski dziękujemy,
które Serce Twoje dało,
w dani dusze Ci niesiemy,
by nas Serce Twe kochało.

Zadanie:
Zapamiętaj słowa modlitwy „Boskie Serce Jezusa".

3. Warto przeczytać

Interesujesz się światem, chcesz poznać tajemnice ziemi i życia, pociąga cię wiele spraw. Śledzisz to w gazetach, w telewizji, w radio. Czy wszystko, o czym czytasz i co poznajesz, jest dobre?

Czy wszystko, co opisują w gazetach, co oglądasz w telewizji jest rzeczywiście tak wspaniałe? Może, choć nie zawsze. Tylu ludzi mówi sobie nawzajem, że się kochają, a przecież się rozchodzą; tylu cieszy się pięknym samochodem, a tak często w nim giną; tylu ludzi mówi: „jestem szczęśliwy", a tak często płaczą. Wszystko na świecie ma swoje dobre i złe strony, uszczęśliwia i zagraża. Z pewnością oglądasz reklamy. Niektóre są zabawne, ciekawe, kolorowe. Ci, którzy je robią, mówią, że to, co reklamują, jest najlepsze. Czy tak jest naprawdę?

Gazety podają dużo informacji wśród kolorowych obrazków, pięknych twarzy i ciekawych scen. Mówi się o dziewczynach, chłopakach, zespołach, o modzie, o tym, co zrobić, by lepiej wyglądać. Z horoskopów możesz dowiedzieć się, co cię spotka. Wszystko jak w bajce. Zakochani, szczęśliwi, bogaci aktorzy i przygodni bohaterowie wychodzą zwycięsko ze swoich przygód.

Czy jest to prawdą?

Na dziś, być może. Co będzie jutro, tym się nikt nie martwi. Będą nowi szczęśliwi, nowi zakochani. Wśród rozebranych pań, rozśpiewanych „artystów" można wiele zobaczyć, wiele usłyszeć, ale czy można się stać lepszym? Czy można nauczyć się żyć?

Człowiek musi wybierać.

„Dziewczyna", „Bravo", „Bravo Girl", „Pop-corn" mogą ci naopowiadać dużo plotek, pokazać wielu ciekawych ludzi, ale czy nauczą cię żyć? Wielu gazetowych bohaterów tak nieciekawie kończy... Czasopisma działają na zasadzie reklamy, prezentują się od najlepszej strony, mówią o tym, co ludzi interesuje, by lepiej się sprzedać. Musisz nauczyć się sztuki dobre-

„Wszystko mi wolno, ale nie wszystko przynosi korzyść. Wszystko mi wolno, ale ja niczemu nie oddam się w niewolę. Pokarm dla żołądka, a żołądek dla pokarmu. Bóg zaś unicestwi jedno i drugie. Ale ciało nie jest dla rozpusty, lecz dla Pana, a Pan dla ciała. Bóg zaś i Pana wskrzesił, i nas również swą mocą wskrzesi z martwych. Czyż nie wiecie, że ciała wasze są członkami Chrystusa? Czyż wziąwszy członki Chrystusa będę je czynił członkami nierządnicy? Przenigdy! Strzeżcie się rozpusty; wszelki grzech popełniony przez człowieka jest na zewnątrz ciała; kto zaś grzeszy rozpustą, przeciwko własnemu ciału grzeszy. Czyż nie wiecie, że ciało wasze jest świątynią Ducha Świętego, który w was jest, a którego macie od Boga, i że już nie należycie do samych siebie? Za [wielką] bowiem cenę zostaliście nabyci. Chwalcie więc Boga w waszym ciele!"

(1 Kor 6,12-15.18-20)

go wyboru. Warto dużo wiedzieć, wiele poznać, ale tylko dobre wybierać. Z tego, co nauczy cię żyć, co pokaże ci, jak być dobrym, szlachetnym, wymagającym od siebie i innych możemy ci zaproponować „Promyk Jutrzenki". Możesz w nim spotkać się z kształtującym nas słowem Boga, poznać ciekawe historie, rozwiązać krzyżówkę czy poznać ulubieńców dzieci. Inną rozrywkę możesz znaleźć w „Łamigłówku Religijnym", z tysiącami rebusów, krzyżówek, zadań. „Mały Apostoł" opowie ci o wielu ciekawych zdarzeniach. Dla tych, którzy szukają więcej, ciekawym tygodnikiem jest „Droga", z komputerami, sportem, modą itd. Poważniejsze treści możesz znaleźć w „Miłujcie się", czy w „Małym Rycerzu Niepokalanej", oraz w „Małym Gościu Niedzielnym".

Pomyśl:

- Czego szukasz w czasopismach? (porozmawiaj o tym z kolegami na katechezie)
- Jakie propozycje wybierzesz?

Zapamiętaj:

1. Dobrze jest zaczynać dzień od modlitwy, nie od horoskopu.
2. Czytaj to, co uczyni cię lepszym.

„Gdy Jezus wybierał się w drogę, przybiegł pewien człowiek i upadłszy przed Nim na kolana, pytał Go: «Nauczycielu dobry, co mam czynić, aby osiągnąć życie wieczne?» Jezus mu rzekł: «Czemu nazywasz Mnie dobrym? Nikt nie jest dobry, tylko sam Bóg. Znasz przykazania: Nie zabijaj, nie cudzołóż, nie kradnij, nie zeznawaj fałszywie, nie oszukuj, czcij swego ojca i matkę». On Mu rzekł: «Nauczycielu, wszystkiego tego przestrzegałem od mojej młodości». Wtedy Jezus spojrzał z miłością na niego i rzekł mu: «Jednego ci brakuje. Idź, sprzedaj wszystko, co masz, i rozdaj ubogim, a będziesz miał skarb w niebie. Potem przyjdź i chodź za Mną». Lecz on spochmurniał na te słowa i odszedł zasmucony, miał bowiem wiele posiadłości".

(Mk 10,17-22)

Zadanie:

Przejrzyj przynajmniej po jednym egzemplarzu z oferty pism katolickich i spróbuj wybrać jedno z nich, jako swoją stałą lekturę.

4. Stanisław Kostka wzorem świętości

„Choćby los ulegał zmianie, ja będę trwał".

(św. Stanisław Kostka)

„Święty, świętoszek, lizus, maminsynek" – krzyczy grupa dzieci odpoczywających na koloniach do swojego kolegi Krzyśka.

Być może zauważyłeś, że wielu ludzi używa określenia „święty" w znaczeniu negatywnym. Przypisuje się je człowiekowi, który nie potrafi dobrze urządzić się w życiu, nie jest przebojowy, podziwiany przez wszystkich. A przecież wielu zostało ogłoszonych świętymi właśnie dlatego, że byli w życiu pokorni, uczciwi, kochający Boga, bezinteresowni we wszystkim, co robili.

Czytając życiorys św. Stanisława Kostki zastanów się, co spowodowało, że ten młody, radosny chłopiec stał się wzorem życia dla dzieci i młodzieży.

Boże, Ty wśród wielu cudów Twojej mądrości obdarzyłeś świętego Stanisława Kostkę łaską dojrzałej świętości już w młodzieńczym wieku, spraw, abyśmy za jego przykładem wykorzystywali czas przez gorliwą pracę i z zapałem dążyli do wiekuistego pokoju. Przez naszego Pana, Jezusa Chrystusa, Twojego Syna, który z Tobą żyje i króluje w jedności Ducha Świętego, Bóg przez wszystkie wieki wieków.

Św. Stanisław urodził się w Rostkowie na Mazowszu w 1550 r. Już od najmłodszych lat kochał bardzo Pana Jezusa i Matkę Bożą. W kościele przed Najświętszym Sakramentem spędzał długie godziny na modlitwie.

Pierwsze nauki pobierał w domu, na dalsze został wysłany wraz ze swoim bratem, Pawłem, do Wiednia. Tam uczęszczał do szkoły prowadzonej przez ojców jezuitów. Stanisław był dobrym i powszechnie lubianym uczniem. Gdy jego starszy brat wiele czasu spędzał z kolegami na zabawach, nie zawsze odpowiednich dla jego wieku, i starał się w to wyciągnąć Stanisława, ten konsekwentnie wybierał postawę zgodną z hasłem swojego życia: „do wyższych rzeczy jestem stworzony". Na tym tle dochodziło wówczas często do nieporozumień między obu braćmi. Stanisław, choć wiele cierpiał od brata i jego kolegów, nie dał się sprowadzić z drogi, którą obrał.

Gdy pewnego razu zachorował, gospodarz domu, nieprzychylnie nastawiony do religii katolickiej, nie pozwolił przyprowadzić kapłana z sakramentem namaszczenia chorych. Wtedy Stanisław poprosił Matkę Najświętszą o pomoc. Jak potem wyznał, Matka Najświętsza przysłała mu Komunię św. przez św. Barbarę. Innym razem Maryja ukazała mu się i poleciła wstąpić do zakonu jezuitów. Stanisławowi podobało się życie zakonne. Szanował swoich nauczycieli-zakonników, miał

do nich zaufanie. Chciał służyć Bogu. Gdy zawiadomił o tym zamiarze ojca, ten nie tylko jak najsurowiej mu tego zabronił, ale jeszcze uprzedził przełożonych zakonnych, aby go nie przyjmowali. Gorące prośby Stanisława wszędzie więc spotykały się z odmową. Mając kilkanaście lat, uciekł do Dylingi w Bawarii, gdzie ostatecznie został przyjęty do klasztoru przez Piotra Kanizego (późniejszy święty) bez zgody rodziców, wbrew woli ojca. Z Dylingi skierowano go do nowicjatu w Rzymie. Tam Stanisław wyróżniał się gorliwością, pracowitością, a przede wszystkim zamiłowaniem do modlitwy. Mimo że był tak młody, wielu kolegów u niego szukało rad w sprawach dotyczących życia religijnego. Stanisław bardzo kochał Matkę Najświętszą. Kiedy myślał o śmierci, pragnął, aby nastąpiła w Jej święto. Po roku pobytu w Rzymie ciężko zachorował na malarię i tak, jak tego pragnął, zmarł w przeddzień uroczystości Wniebowzięcia Najświętszej Maryi Panny – 14 sierpnia.
Jego relikwie spoczywają w rzymskim kościele św. Andrzeja.
Żył zaledwie 18 lat, a został świętym. Rozumiał, że jest powołany do nieba, zatem każdą chwilę spędzał tak, aby we wszystkim podobać się Bogu.

Pomyśl:

- Czy pragniesz zostać świętym?
- Co zmienisz w swoim życiu, by wejść na drogę świętości?
- W czym chciałbyś naśladować św. Stanisława?

„A sprawiedliwy, choćby umarł przedwcześnie, znajdzie odpoczynek. Starość jest czcigodna nie przez długowieczność i liczbą lat się jej nie mierzy: sędziwością u ludzi jest mądrość, a miarą starości – życie nieskalane. Ponieważ spodobał się Bogu, znalazł Jego miłość, i żyjąc wśród grzeszników, został przeniesiony. Zabrany został, by złość nie odmieniła jego myśli albo ułuda nie uwiodła duszy: bo urok marności przesłania dobro, a burza namiętności mąci prawy umysł. Wcześnie osiągnąwszy doskonałość, przeżył czasów wiele. Dusza jego podobała się Bogu, dlatego pospiesznie wyszedł spośród nieprawości. A ludzie patrzyli i nie pojmowali ani sobie tego nie wzięli do serca, że łaska i miłosierdzie nad Jego wybranymi i nad świętymi Jego opatrzność".

(Mdr 4,7-15)

Zadanie:

1. Napisz, jak rozumiesz słowa św. Stanisława: „Choćby los ulegał zmianie, ja będę trwał".
2. Przygotuj list do kolegi, w którym opowiesz mu o św. Stanisławie Kostce oraz o tym, co zachwyciło cię w tej postaci.
3. Co zrobiłby św. Stanisław Kostka, gdyby żył dzisiaj?

5. Św. Franciszek – miłośnik przyrody

Pewien przyrodnik opowiadał, że kiedy był chłopcem, uczył się religii chodząc po drzewach. Myślał sobie tak: „Boże, przecież to drzewo, po którym chodzę, jest Twoim cudem. Z maleńkiego nasiona wyrosło, żyje z powietrza, pompuje wodę z ziemi do najwyższego listka na górze".

Codziennie możesz zachwycać się tajemnicą i pięknem stworzenia albo też możesz być na to piękno obojętny.

Aby uwrażliwić swoje oczy, uszy, serce na dar przyrody, którą Bóg nieustannie dla ciebie stwarza, pomódl się dzisiaj słowami św. Franciszka z Asyżu:

Sceny z życia św. Franciszka – Bonaventura Berlinghieri

Św. Franciszek pochodził z bardzo bogatej rodziny, jednak pomnażanie dóbr materialnych nie było jego życiowym celem.

Kochał ludzi i całą przyrodę, która była dla niego jakby częścią rajskiego ogrodu, który Bóg podarował człowiekowi. Uczył innych patrzeć na nią z miłością, troską i wdzięcznością. Uważał się za brata przyrody, dlatego też każde stworzenie nazywał bratem, siostrą, matką, ojcem. Jego pragnienie życia w harmonii z ubogimi, potrzebującymi pomocy, z całym stworzeniem spowodowało, że opuścił swą rodzinę i założył zakon Braci Mniejszych (franciszkanie). 29 XI 1979 r. Jan Paweł II ogłosił go patronem ekologów.

Dzisiejszy świat potrzebuje ludzi, którzy widzą w przyrodzie mądrość i wspaniałość Stwórcy.

Pochwała stworzenia

Najwyższy, wszechpotężny,
dobry Panie,
Twoje jest słowo, chwała
i cześć, i wszelkie błogosławieństwo.
Pochwalony bądź, Panie,
przez brata naszego księżyc
i nasze siostry gwiazdy,
(...)
Pochwalony bądź, Panie, przez brata
naszego wiatr
i przez powietrze, i czas
pochmurny i pogodny, i wszelki.
(...)
Pochwalony bądź, Panie, przez siostrę
naszą, matkę ziemię,
która nas żywi i chowa,
i rodzi różne owoce z barwnymi
kwiaty i zioły.
(...)
Chwalcie i błogosławcie Pana
i czyńcie Mu dzięki,
i służcie mu z wielką pokorą.

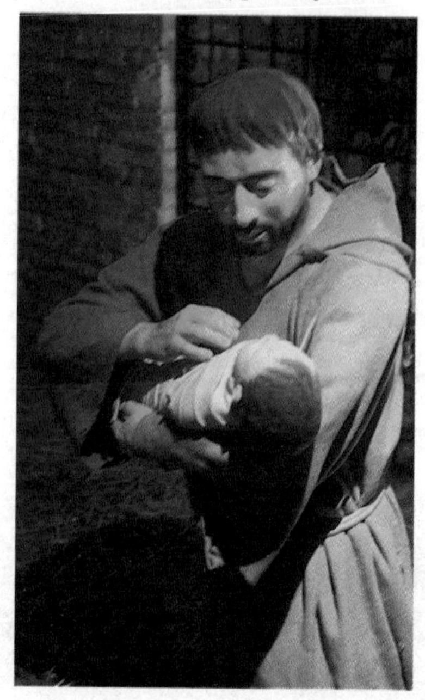

Pomyśl:

- Co musisz zmienić w swoim postępowaniu, abyś mógł nazwać siebie bratem stworzeń?
- Jakie cechy św. Franciszka najbardziej chciałbyś w sobie kształtować?

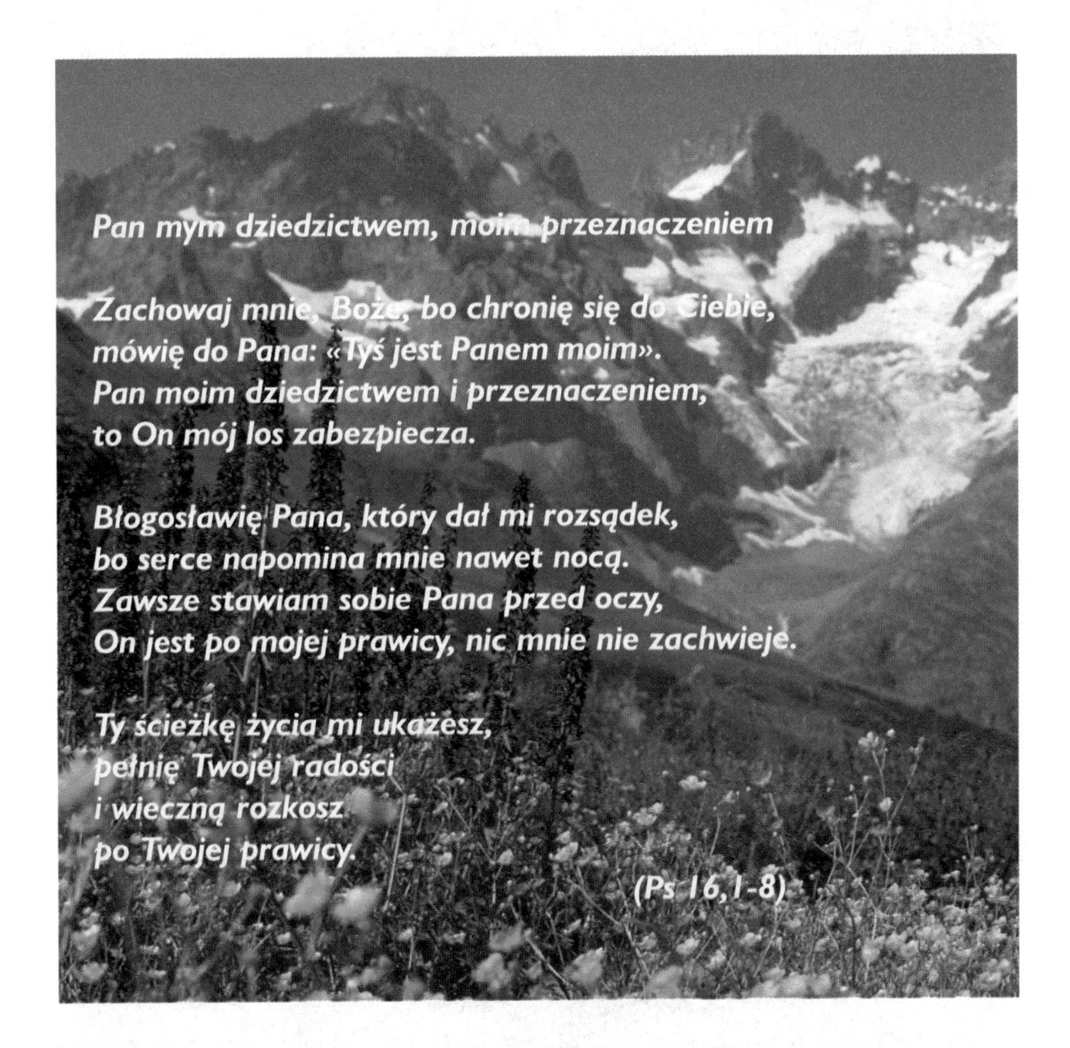

Zadanie:

1. Napisz, w czym chcesz naśladować św. Franciszka.
2. Narysuj plakat przedstawiający św. Franciszka wśród stworzeń Bożych.
3. Zastanów się i napisz, jak rozumiesz słowa św. Franciszka: „Ziemia została ci powierzona jako ogród; zarządzaj nią mądrze".
4. Napisz modlitwę w imieniu jakiegoś stworzenia (ptaka, ryby, drzewa) z prośbą o ratunek w zagrożeniu ze strony człowieka.

„Przyjdźcie, zobaczcie dzieła Pana,
dzieła zdumiewające, których dokonuje na ziemi".

(Ps 46,9)

II
POWOŁANIE DO SZCZĘŚCIA

„Stworzyłeś nas, Panie, dla siebie,
i niespokojne jest nasze serce,
dopóki nie spocznie w Tobie".

(św. Augustyn)

6. Stwórcze działanie Boga w świecie

Ludzie wszystkich czasów stawiali sobie zawsze dwa podstawowe pytania: Skąd pochodzimy? Dokąd idziemy? W Księdze Rodzaju czytamy:

„Na początku Bóg stworzył niebo i ziemię. Ziemia zaś była bezładem i pustkowiem: ciemność była nad powierzchnią bezmiaru wód, a Duch Boży unosił się nad wodami. Wtedy Bóg rzekł: «Niechaj się stanie światłość!» I stała się światłość. Bóg widząc, że światłość jest dobra, oddzielił ją od ciemności. I nazwał Bóg światłość dniem, a ciemność nazwał nocą. I tak upłynął wieczór i poranek – dzień pierwszy.
A potem Bóg rzekł: «Niechaj powstanie sklepienie w środku wód i niechaj ono oddzieli jedne wody od drugich!» Uczyniwszy to sklepienie, Bóg oddzielił wody pod sklepieniem od wód ponad sklepieniem: a gdy tak się stało, Bóg nazwał to sklepienie niebem. I tak upłynął wieczór i poranek – dzień drugi.
A potem Bóg rzekł: «Niechaj zbiorą się wody spod nieba w jedno miejsce i niech się ukaże powierzchnia sucha!» A gdy tak się stało, Bóg nazwał tę suchą powierzchnię ziemią, a zbiorowisko wód nazwał morzem. Bóg widząc, że były dobre, rzekł: «Niechaj ziemia wyda rośliny zielone: trawy dające nasiona, drzewa owocowe rodzące na ziemi według swego gatunku owoce, w których są nasiona». I stało się tak. Ziemia wydała rośliny zielone: trawę dającą nasienie według swego gatunku i drzewa rodzące owoce, w których było nasienie według ich gatunków. A Bóg widział, że były dobre. I tak upłynął wieczór i poranek – dzień trzeci.
A potem Bóg rzekł: «Niechaj powstaną ciała niebieskie, świecące na sklepieniu nieba, aby oddzielały dzień od nocy, aby wyznaczały pory roku, dni i lata; aby były ciałami jaśniejącymi na sklepieniu nieba i aby świeciły nad ziemią». I stało się tak. Bóg uczynił dwa duże ciała jaśniejące: większe, aby rządziło dniem, i mniejsze, aby rządzi-

ło nocą, oraz gwiazdy. I umieścił je Bóg na sklepieniu nieba, aby świeciły nad ziemią; aby rządziły dniem i nocą i oddzielały światłość od ciemności. A widział Bóg, że były dobre. I tak upłynął wieczór i poranek – dzień czwarty.
Potem Bóg rzekł: «Niechaj się zaroją wody od roju istot żywych, a ptactwo niechaj lata nad ziemią, pod sklepieniem nieba!» Tak stworzył Bóg wielkie potwory morskie i wszelkiego rodzaju pływające istoty żywe, którymi zaroiły się wody, oraz wszelkie ptactwo skrzydlate różnego rodzaju. Bóg widząc, że były dobre, pobłogosławił je tymi słowami: «Bądźcie płodne i mnóżcie się, abyście zapełniały wody morskie, a ptactwo niechaj się rozmnaża na ziemi». I tak upłynął wieczór i poranek – dzień piąty.
Potem Bóg rzekł: «Niechaj ziemia wyda istoty żywe różnego rodzaju: bydło, zwierzęta pełzające i dzikie zwierzęta według ich rodzajów!» I stało się tak. Bóg uczynił różne rodzaje dzikich zwierząt, bydła i wszelkich zwierząt pełzających po ziemi. I widział Bóg, że były dobre".

(Rdz1,1-25)

Stworzenie – Michał Anioł Buonarroti (fragmenty malowideł na sklepieniu Kaplicy Sykstyńskiej)

„Zagadnienie początków świata i człowieka jest przedmiotem licznych poszukiwań naukowych, które wspaniale wzbogaciły naszą wiedzę o wieku i wymiarach wszechświata, o powstawaniu form żywych, o pojawieniu się człowieka. Odkrycia te skłaniają nas do coraz głębszego podziwu dla wielkości Stwórcy, do dziękczynienia za wszystkie Jego dzieła oraz za rozum i mądrość, jakich udziela On uczonym i badaczom. Mogą oni powiedzieć za Salomonem: «On mi dał bezbłędną znajomość rzeczy: poznać budowę świata i sił żywiołów... pouczyła mnie bowiem Mądrość – sprawczyni wszystkiego» (Mdr 7,17-21)".

(KKK 283)

Bóg stwarzający zwierzęta – mozaika z XIII w.

Bóg jest Stwórcą. Uczynił wszystko z miłości i dlatego jest bliski swojemu stworzeniu: jest w nim obecny. Autor Księgi Mądrości mówi o Nim:

> „Miłujesz bowiem wszystkie stworzenia, niczym się nie brzydzisz, co uczyniłeś, bo gdybyś miał coś w nienawiści, nie byłbyś tego uczynił. Jakżeby coś trwać mogło, gdybyś Ty tego nie chciał? Jak by się zachowało, czego byś nie wezwał? Oszczędzasz wszystko, bo to wszystko Twoje, Panie, miłośniku życia!"
>
> (Mdr 11,24-26)

Pomyśl:

- Kiedy ostatnio cieszyłeś się widokiem pięknych kwiatów, barwnych motyli?
- Kiedy dziękowałeś Bogu za piękną pogodę, słońce, za deszcz czy orzeźwiający wiatr?
- Czy z miłości do Stwórcy troszczysz się o otaczający świat, dbasz o piękno przyrody, dobrze odnosisz się do zwierząt?

Najmniejsze stworzenie jest cenne w oczach Boga, bo On zachwyca się wszystkim, co jest dziełem Jego rąk.

Pochwalon bądź, Panie,

z wszystkimi Twoimi stworzeniami,

a przede wszystkim z naszym bratem słońcem, które dzień daje, a Ty przez nie świecisz. Ono jest piękne i promieniste, a przez swój blask Jest Twoim wyobrażeniem,

o Najwyższy...

Panie, bądź pochwalony

przez naszą siostrę wodę,

która jest wielce pożyteczna

i pokorna, i cenna, i czysta...

Panie, bądź pochwalony

przez naszą siostrę – matkę ziemię,

która nas żywi i chowa,

i rodzi różne owoce, barwne kwiaty i zioła...

Czyńcie chwałę

i błogosławieństwo Panu,

i składajcie Mu dzięki,

i służcie Mu

z wielką pokorą.

(św. Franciszek z Asyżu)

Pieśń:

Gdy szukasz Boga, popatrz na kwiaty,
popatrz na góry i ciemny las.
Z każdej wędrówki wrócisz bogaty
i nową treścią wypełnisz swój czas.
Bo cały świat jest pełen śladów Boga
i każda rzecz zawiera Jego myśl:
wspaniały szczyt, błotnista wiejska droga,
to Jego znak, który zostawił ci.

Gdy szukasz Boga, popatrz na ludzi,
spójrz, jak taternik zdobywa szczyt,
zobacz, jak matka w domu się trudzi,
spójrz w oczy dziecka, a powiedzą ci,
że każdy z nas stworzony jest przez Pana
i w każdym z nas zamieszkać pragnie Bóg,
by dobra wieść była przekazywana,
by miłość swą objawić przez nas mógł.

Zadanie:

1. Napisz, kiedy dostrzegasz w swoim życiu obecność Boga i Jego moc stwórczą.
2. Codziennie staraj się dostrzec w pięknie świata obecność jego Stwórcy i dziękuj Bogu za to choćby krótką modlitwą lub uśmiechem.

7. Bóg stwarza człowieka i powołuje go do świętości

Stworzenie Adama – Michał Anioł

„Jestem stworzony z miłości i dla miłości".

(Adolf Kolping)

Każde życie jest wielkim darem Boga, ogromną tajemnicą, której człowiek nie potrafi zrozumieć do końca.

Urzeczony swoją wielkością, psalmista modlił się:

„Boże, czym jest człowiek, że o nim pamiętasz, i czym – syn człowieczy, że się nim zajmujesz? Uczyniłeś go niewiele mniejszym od istot niebieskich, chwałą i czcią go uwieńczyłeś. Obdarzyłeś go władzą nad dziełami rąk Twoich; wszystko złożyłeś pod jego stopy".

(Ps 8,5-7)

Św. Augustyn mówił:

„Człowiek jest tęsknotą Boga".

Stwarzając człowieka, Bóg uczynił go podobnym do siebie.

„Stworzył więc Bóg człowieka na swój obraz, na obraz Boży go stworzył: stworzył mężczyznę i niewiastę".

(Rdz 1,27)

To podobieństwo do Boga wyraża się w naszej wolności, zdolności kochania, w świętości życia. Im bardziej te cnoty rozwijamy w sobie, tym bardziej stajemy się podobni do Niego.

Czasem słyszysz wyrzuty: „Ja się na świat nie prosiłem", „To życie jest do niczego..." Ludzie ci nie rozumieją sensu swojego życia. Jesteśmy stworzeni nie „za karę", ale z miłości, w której Bóg oczekuje każdego z nas w niebie.

„W Nim żyjemy, poruszamy się i jesteśmy".

(Dz 17,28)

Pomyśl:

- Czy czujesz stałą obecność Boga w swoim życiu?
- Jak często dziękujesz Bogu za dar życia, wołając do Niego: „Abba, Tatusiu"?
- Jak troszczysz się o dar życia?

Bóg Ojciec pragnie twojego szczęścia, pragnie, abyś był święty, abyś cieszył się życiem i dzielił tę radość z innymi.

Pieśń:

Tyle dobrego zawdzięczam Tobie, Panie,
wszystko, co mam, od Ciebie przecież jest.
I to, że jestem, że życie wciąż poznaję,
dziś tymi słowy wyrazić wszystko chcę:

Za każdy dzień, za nocy mrok,
za radość mą, szczęśliwy rok,
nawet za chmurne, deszczowe dni,
za wszystko, Panie, dziękuję Ci.

„Przenikasz i znasz mnie, Panie,
Ty wiesz, kiedy siedzę i wstaję.
Z daleka spostrzegasz moje myśli,
przyglądasz się, jak spoczywam i chodzę,
i znasz wszystkie moje drogi.
Ty bowiem stworzyłeś moje wnętrze
i utkałeś mnie w łonie mej matki.
Sławię Cię, żeś mnie tak cudownie stworzył,
godne podziwu są Twoje dzieła
i duszę moją znasz do głębi".

(Ps 139,1-3.13b-14)

Zadanie:

1. Wklej pod tematem ilustrację przedstawiającą człowieka.
2. Napisz, w jaki sposób troszczysz się o dar życia ofiarowany ci przez Stwórcę.
3. Dziękuj Bogu codziennie za dar życia słowami Psalmu 139.

8. Bóg stworzył świat niewidzialny

Bóg stworzył wiele zachwycających nas dzieł. Możemy je podziwiać i nimi się cieszyć. Są też stworzenia, których nie można zobaczyć, chyba że Bóg na to pozwoli. To aniołowie. Zobacz, co na ich temat mówił św. Augustyn, którego cytuje Katechizm Kościoła Katolickiego:

„«Anioł» – oznacza funkcję, nie naturę. Pytasz, jak nazywa się ta natura? – Duch. Pytasz o ich funkcję? – Anioł. Przez to, czym jest, jest duchem, a przez to, co wypełnia, jest aniołem. W całym swoim bycie aniołowie są sługami i wysłannikami Boga. Ponieważ zawsze kontemplują «oblicze Ojca... który jest w niebie» (Mt 18,10), są wykonawcami Jego rozkazów, «by słuchać głosu Jego słowa» (Ps 103,20)".

(KKK 329)

Aniołowie – Mistrz Flémalle (fragment „Narodzenia Pańskiego")

Aniołów poznajemy, gdy Bóg posyła ich do ludzi ze specjalną misją. To aniołowie zamknęli raj przed człowiekiem, chronili biblijnego Lota, uratowali Hagar i jej dziecko, powstrzymali ofiarę z Izaaka, towarzyszyli prorokom. Niektórych znamy po imieniu. Anioł Gabriel przyszedł do Maryi, by powiedzieć Jej, że będzie Matką Jezusa, anioł Rafał towarzyszył Tobiaszowi. W Kościele ciągle o nich pamiętamy. Modlimy się razem z nimi i chcemy, by nasze głosy przyłączyły się do ich głosów w niebie we wspólnym uwielbieniu Boga.

W prefacji o aniołach modlimy się:

Zaprawdę, godne to i sprawiedliwe, słuszne i zbawienne, abyśmy Tobie, Ojcze Święty, zawsze i wszędzie składali dziękczynienie i abyśmy głosili Twoją chwałę, która jaśnieje w aniołach i archaniołach. Gdy oddajemy cześć stworzonym przez Ciebie aniołom, wysławiamy Twoją doskonałość i potęgę. Przez wspaniałość świata niewidzialnych duchów poznajemy, jak jesteś niezmierzony i godny miłości ponad całe stworzenie. Z radością łączymy nasze głosy

z chórami aniołów, którzy przez naszego Pana, Jezusa Chrystusa, wielbią Twój majestat, razem z nimi wołając: Święty, Święty, Święty Pan Bóg Zastępów. Pełne są niebiosa i ziemia chwały Twojej. Hosanna na wysokości. Błogosławiony, który idzie w imię Pańskie. Hosanna na wysokości.

29 września obchodzimy wspomnienie św. archaniołów – Michała, Gabriela i Rafała. W Ewangelii czytamy:

> „Jezus ujrzał, jak Natanael zbliżał się do Niego, i powiedział o nim: «Patrz, oto prawdziwy Izraelita, w którym nie ma podstępu». Powiedział do Niego Natanael: «Skąd mnie znasz?» Odrzekł mu Jezus: «Widziałem cię, zanim cię zawołał Filip, gdy byłeś pod drzewem figowym». Odpowiedział Mu Natanael: «Rabbi, Ty jesteś Synem Bożym, Ty jesteś Królem Izraela!» Odparł mu Jezus: «Czy dlatego wierzysz, że powiedziałem ci: Widziałem cię pod drzewem figowym? Zobaczysz jeszcze więcej niż to». Potem powiedział do niego: «Zaprawdę, zaprawdę, powiadam wam: Ujrzycie niebiosa otwarte i aniołów Bożych wstępujących i zstępujących na Syna Człowieczego»".
>
> (J 1,47-51)

2 października jest wspomnienie św. aniołów stróżów.

Anioł towarzyszy także tobie. Możesz z nim rozmawiać, do niego się modlić, by pomógł ci w drodze do Boga.

Jezus mówi:

> „W tym czasie uczniowie przystąpili do Jezusa z zapytaniem: «Kto właściwie jest największy w królestwie niebieskim?» On przywołał dziecko, postawił je przed nimi i rzekł: «Zaprawdę, powiadam wam: Jeśli się nie odmienicie i nie staniecie jak dzieci, nie wejdziecie do królestwa niebieskiego. Kto się więc uniży jak to dziecko, ten jest największy w królestwie niebieskim. I kto by przyjął jedno takie dziecko w imię moje, Mnie przyjmuje. Strzeżcie się, żebyście nie gardzili żadnym z tych małych; albowiem powiadam wam: Aniołowie ich w niebie wpatrują się zawsze w oblicze Ojca mojego, który jest w niebie".
>
> (Mt 18,1-5.10)

Twój anioł jest tak blisko Boga! Pamiętaj o nim i módl się:

Aniele Boży, stróżu mój,
Ty zawsze przy mnie stój.
Rano, we dnie, wieczór, w nocy
bądź mi zawsze ku pomocy,
strzeż duszy i ciała mego
i zaprowadź do żywota wiecznego.

Pomyśl:
- Jak często rozmawiasz ze swym aniołem stróżem?
- Kiedy go prosisz o pomoc?

Zapamiętaj:

Bóg mówi:

> „Oto Ja posyłam anioła przed tobą, aby cię strzegł w czasie twojej drogi i doprowadził cię do miejsca, które ci wyznaczyłem". (Wj 23,20)

Zadanie:
1. Przeczytaj: „Oddajemy cześć aniołom" (KKK 329-335), „Kim jest szatan?" (KKK 391n).
2. Ułóż modlitwę do swojego anioła stróża, którą będziesz się codziennie modlić.
3. Przynieś na następną katechezę widokówki lub ilustracje przybliżające piękno stworzonego świata.

9. Jestem odpowiedzialny za otaczający mnie świat

Stańmy się oazą, gdzie człowiek cieszy się życiem. Każdym nowym dniem i życiem takim, które kosztuje dużo trudu. Tam, gdzie kwiat może na nowo zakwitnąć, pewnego dnia wyrosną ich tysiące.

Człowiek żyje na ziemi i z niej korzysta. Potrzebuje jej dóbr, by mógł się rozwijać i cieszyć. Są to dary, jakie otrzymaliśmy od Stwórcy już na samym początku.

„Bóg błogosławił [ludziom], mówiąc do nich: «Bądźcie płodni i rozmnażajcie się, abyście zaludnili ziemię i uczynili ją sobie poddaną, abyście panowali nad rybami morskimi, nad ptactwem powietrznym i nad wszystkimi zwierzętami pełzającymi po ziemi». I rzekł Bóg: «Oto wam daję wszelką roślinę przynoszącą ziarno po całej ziemi i wszelkie drzewo, którego owoc ma w sobie nasienie: dla was będą one pokarmem".

(Rdz 1,28-29)

Tymczasem ludzie, korzystając z Bożych darów, często bezmyślnie je niszczą. Zatruliśmy świat

- oto efekt naszego działania:
- umierają ryby w skażonych wodach
- umierają lasy zatrute złym powietrzem
- z głodu umierają ludzie, gdy marnowana jest żywność w krajach bogatych
- zasypaliśmy świat śmieciami
- zabijane są zwierzęta dla ich skóry, futra i kości.

Fiodor Dostojewski upomina:

„Miłujcie wszelkie stworzenie Boskie: i całość, i każde ziarnko piasku. Miłujcie zwierzęta, miłujcie rośliny, miłujcie rzecz każdą. Nie dręczcie ich, nie odbierajcie im radości, nie sprzeciwiajcie się myśli Pańskiej".

„Kiedy zaś Pan widział, że wielka jest niegodziwość ludzi na ziemi i że usposobienie ich jest wciąż złe, żałował, że stworzył ludzi na ziemi, i zasmucił się. Wreszcie Pan rzekł: «Zgładzę ludzi, bydło, zwierzęta pełzające i ptaki powietrzne, bo żal mi, że ich stworzyłem». Ziemia została skażona w oczach Boga.
Gdy Bóg widział, iż ziemia jest skażona, że wszyscy ludzie postępują na ziemi niegodziwie, rzekł do Noego: «Postanowiłem położyć kres istnieniu wszystkich ludzi, bo ziemia jest pełna wykroczeń przeciw mnie; zatem zniszczę ich wraz z ziemią»".

(Rdz 6,5-7.11-13)

Pomyśl:

- Jak szanujesz rzeczy w domu?
- Jak troszczysz się o szkołę?
- Czy nie śmiecisz w miejscach publicznych?
- Jak szanujesz wodę?
- Czy nie wyrzucasz chleba na śmietnik?
- Jak zachowywałeś się w lesie?
- Jaki jest twój stosunek do zwierząt?
- Czy nie niszczyłeś gniazd ptasich?
- Czy nie zadajesz cierpień zwierzętom?
- Czy umiałeś zachować ciszę?
- Jaki byłeś dla ludzi?
- Czy pomagałeś innym?
- Czy umiałeś przeprosić?

Zapamiętaj:

Złe uczynki wobec przyrody są grzechem popełnionym wobec Boga.

Boże, dziękujemy Ci za wszystkie Twoje dary, z których możemy korzystać. Prosimy Cię o mądrość i odwagę dla poszanowania naturalnego środowiska. Stwórco wszechświata, przyjmij nasze dobre chęci, wspomóż łaską, byśmy szanowali naszą ziemię. Przez Chrystusa, Pana naszego.

Pieśń:

Przepraszam Cię, Boże
skrzywdzony w człowieku,
przepraszam dziś wszystkich was.
Żałuję za wszystko,
to moja wina jest.

Zadanie:
Ułóż pięć „przykazań ekologicznych" i staraj się wprowadzać je w życie.

10. Historia zbawienia a dzieje człowieka

Od samego początku Bóg jest obecny w życiu swojego stworzenia. Powołał nas do bytu z miłości i nigdy nas nie opuszcza. Potwierdzają to fakty z historii narodu wybranego, który wielokrotnie buntował się przeciw Bogu, podczas gdy Bóg z miłością pochylał się nad nim; nieustannie pouczał go przez proroków, objawił się w nim przez Syna, Jezusa Chrystusa.

Ta historia Jego miłości trwa nadal.

Czy zastanawiałeś się, kim jest Bóg dla ciebie?

Niektórzy ludzie uważają Go za sędziego, który stosuje najwyższy wymiar kary, inni widzą w Nim policjanta, który czyha na najmniejsze potknięcie, by wlepić mandat z napisem „piekło".

A przecież Bóg jest najukochańszym Ojcem, ogarniającym nas wciąż tą samą, miłosierną, nieprzemijającą miłością. Bóg jest żywy i obecny w twoim życiu. Przygotował dla ciebie najwspanialsze rzeczy, które zrozumiesz, jeżeli przyjmiesz Jego miłość, jeżeli pozwolisz Mu wejść w twoje życie. Obdaruje cię wtedy radością i niekończącym się szczęściem obcowania z Nim w wieczności.

Pomyśl:

Bóg nas kocha, jest obecny w naszym życiu.

- Czy zapraszasz Go do swojego domu?
- Czy pragniesz, aby był z tobą w szkole i na placu zabaw?
- Kiedy najsilniej odczuwasz Jego obecność?
- Co postanawiasz zrobić, by był przy tobie bardziej obecny?

„Bóg jest jedyny; poza Nim nie ma innych bogów. On przekracza świat i historię. To On uczynił niebo i ziemię: «Przeminą one, Ty zaś pozostaniesz. I całe one jak szata się zestarzeją... Ty zaś jesteś zawsze ten sam i lata Twoje nie mają końca» (Ps 102,27-28). W Nim «nie ma przemiany ani cienia zmienności» (Jk 1,17). On jest «Tym, Który Jest», bez początku i bez końca, i w ten sposób pozostaje zawsze wierny sobie i swoim obietnicom".

(KKK 212)

„Zaprawdę, godne to jest,
abyśmy Tobie składali dziękczynienie,
Ojcze Święty, Stwórco świata i Źródło życia.
Ty nie zostawiasz nas samych na drodze życia,
ale pośród nas żyjesz i działasz.
Twoją potężną mocą prowadziłeś lud błądzący na pustyni,
a dziś przenikasz swój Kościół, pielgrzymujący na świecie,
światłem i mocą swojego Ducha.
Przez Chrystusa, Twojego Syna i naszego Pana,
prowadzisz nas na drogach czasu
ku doskonałej radości swojego królestwa.
Wdzięczni za te dary,
zjednoczeni z aniołami i świętymi
śpiewamy nieustannie hymn Twojej chwały".

Zapamiętaj:

„Chcę Cię wywyższać, Boże mój, Królu,
i błogosławić imię Twe na zawsze i na wieki.
Każdego dnia będę Cię błogosławił
i na wieki wysławiał Twe imię.
Wielki jest Pan i godzien wielkiej chwały,
a wielkość Jego niezgłębiona.
Pokolenie pokoleniu głosi Twoje dzieła
i zwiastuje Twoje potężne czyny.
Głoszą wspaniałą chwałę Twego majestatu
i rozpowiadają Twe cuda.
Niechaj Cię wielbią, Panie, wszystkie dzieła Twoje
i święci Twoi niech Cię błogosławią!
Niech mówią o chwale Twojego królestwa
i niech głoszą Twoją potęgę,
aby oznajmić synom ludzkim Twoją potęgę
i wspaniałość chwały Twego królestwa”.

(Ps 145,1-5.10-12)

„Ani oko nie widziało, ani ucho nie słyszało, ani serce człowieka nie zdołało pojąć, jak wielkie rzeczy przygotował Bóg tym, którzy Go miłują”.

(1 Kor 2,9)

Zadanie:
W czasie wieczornej modlitwy przemyśl słowa Jezusa Chrystusa: „Niebo i ziemia przeminą, ale słowa moje nie przeminą” (Mt 24,35), i wpisz swoją refleksję do zeszytu.

11. Biblia księgą historii zbawienia

Pośród wielu wspaniałych i ciekawych książek, czytanych przez miliony ludzi, jest jedna szczególna, zawierająca słowa samego Boga. To Pismo św., inaczej Biblia. Ukazuje nam ono całą mądrość i miłość Pana Boga, uwrażliwia serca i rozpala pragnienie nieustannego obcowania z Bogiem.

Jeśli tylko zechcesz, Biblia obudzi twoje serce, i z każdym dniem coraz mocniej i mocniej będziesz pragnąć spotkania ze słowem Bożym.

Wielkim miłośnikiem Biblii był św. Paweł. Dla niego słowo Boże było lampą, która wskazuje drogę do Jezusa. Kiedy przebywając w więzieniu czuł zbliżającą się śmierć, poprosił swojego ucznia Tymoteusza, aby przywiózł mu księgi z Pismem św.

Sw. Paweł nie chciał umierać bez słowa Bożego w dłoniach, ponieważ ono nadawało sens jego kajdanom i samotności. Pragnął mieć przy sobie pergaminy opowiadające o cudach Boga, który w otchłanie ciemności wprowadza światło nieba. Czy myślisz, że św. Paweł tak bardzo ukochał Biblię, ponieważ był szczególnie wybrany przez Boga, był kimś nadzwyczajnym?

Przeczytaj, co o Biblii mówił do wnuczka zwykły człowiek – dziadek poety Romana Brandstaettera:

„Będziesz Biblię nieustannie czytał... Będziesz ją kochał więcej niż swoich rodziców... więcej niż mnie... Nigdy się z nią nie rozstaniesz... A gdy zestarzejesz się, dojdziesz do przekonania, że wszystkie książki, jakie przeczytałeś w życiu, są tylko nieudolnym komentarzem do tej jedynej Księgi..."

(R. Brandstaetter, Krąg biblijny, Warszawa 1977, s. 10)

Sam Roman o Piśmie św., które nazywa ŻYWĄ KSIĘGĄ, pisze:

Jest lipcowa noc. Na moim biurku leży Pismo święte. Wyciągam rękę. Przypływ przeszłości pod działaniem tego gestu jest tak żywiołowy, że nie umiem go sobie wyobrazić bez skojarzenia mojej wyciągniętej ręki z pobrużdżoną zmarszczkami ręką dziadka, sięgającą po oprawny w czarne płótno tom hebrajskiej Biblii. Biblia leżała na biurku mojego dziadka. Biblia leżała na stołach moich praojców. Nigdy w bibliotece. Zawsze na podręczu. W naszym domu nikt Biblii nigdy nie szukał, nigdy również nie słyszałem, aby ktokolwiek pytał, gdzie ona leży. Wiadomo było, że u dziadków na biurku, u nas na małym stoliku obok fotela, w którym wieczorami zwykł siadywać ojciec. Miejsce, na którym leżała Biblia, było dla mnie miejscem wyróżnionym. Gdyby mnie wówczas spytano, w czym upatruję owo wyróżnienie, na pewno nie umiałbym odpowiedzieć, mimo to odczuwałem niezwykle wyraźnie nadzwyczajność tego miejsca. Było ono dla mnie ośrodkiem całego mieszkania, wyniesionym wysoko ponad całe mieszkanie, punktem, dokoła którego wszystko się obracało. Gdy ojciec wieczorem czytał Biblię, chodziłem po pokoju na palcach. Dziadkowi nigdy bym się nie ośmielił przerwać jej lektury. Obaj byli dla mnie w takich chwilach naznaczeni przywilejem nietykalności. Od najmłodszych lat byłem świadkiem nieustannej manifestacji świętości księgi, jej kultu i wywyższania. Samo jej otwarcie jest już aktem podniosłym. W mistycznym Zoharze jest napisane: „Gdy wyjmuje się Świętą Księgę, aby z niej czytać, otwierają się niebieskie bramy miłosierdzia i wzniecają miłość na wysokościach". Ojciec opowiadał mi, że pradziadek, ilekroć sięgał po Biblię, mył uprzednio ręce i modlił się o łaskę mądrego czytania. Mój pierwszy nauczyciel języka hebrajskiego – zginął w 1914 roku

w bitwie pod Kraśnikiem – bił mnie linijką po dłoni, gdy ośmieliłem się dotknąć palcem świętych liter Pięcioksięgu.
Dziadek od wczesnej młodości zapisywał drobnym hebrajskim pismem na wewnętrznych stronach okładek Biblii, a potem na wklejonych do niej arkusikach papieru, przyciętych z pedantyczną dokładnością do rozmiarów Księgi, daty śmierci swoich przodków i najbliższej rodziny. Były to kronikarskie zapiski o śmierci jego prapradziadków, pradziadków i dziadków – jeden z nich zmarł tragicznie w 1793 roku wśród okoliczności przypominających romantyczną balladę – praprababek, prababek i babek, stryjów i wujów, braci stryjecznych, dzieci i wnuków, a na koniec mojej babki. Gdy wpisywał jej imię – stałem właśnie obok niego – zapytałem:
– Dlaczego zapisujesz w Biblii imiona zmarłych?
– Bo jest księgą żywych – odparł, nie przerywając pisania.

(R. Brandstaetter, Krąg biblijny, s. 16-17)

Pomyśl:
- Kiedy ostatnio czytałeś Pismo św.?
- Jak słuchasz słowa Bożego podczas Mszy św.?
- Jak wprowadzasz je w życie?

Zadanie:
1. Módl się o to, aby Bóg rozpalił w tobie pragnienie czytania Biblii i życia słowem Bożym.
2. Podczas wieczornej modlitwy przemyśl poniższe słowa:
„Jeśli brakuje wam czegoś w życiu, trzeba tego najpierw szukać w Biblii", i zanotuj swoje refleksje.
3. Postaraj się zapamiętać jak najwięcej skrótów tytułów ksiąg Pisma św.

12. Grzech pierworodny i jego skutki

Jesteś bardzo szczęśliwy, zachwyca cię otaczający świat, kiedy odczuwasz, że jesteś kochany, zauważany przez nauczycieli i doceniany w gronie rówieśników. Wtedy w tobie i wokół ciebie panuje radość i pokój. Niektórzy ludzie taki stan ducha porównują do raju, mówiąc: „Czuję się jak w niebie". Raj każdemu kojarzy się z przepięknym ogrodem, gdzie panuje harmonia i spokój. Bóg pragnął, aby człowiek od początku swego istnienia czuł się kochany i bezpieczny, dlatego dał mu wszystko, co jest potrzebne do szczęścia. Postawił jednak warunek: posłuszeństwo Jego słowu i zaufanie, podobne do zaufania należnego rodzicom.

„Pan Bóg dał człowiekowi taki rozkaz: «Z wszelkiego drzewa tego ogrodu możesz spożywać według upodobania; ale z drzewa poznania dobra i zła nie wolno ci jeść, bo gdy z niego spożyjesz, niechybnie umrzesz»".

(Rdz 2,16-17)

I nagle pojawił się szatan, który bardzo sprytnie wykorzystał naiwność człowieka:

„A wąż był bardziej przebiegły niż wszystkie zwierzęta lądowe, które Pan Bóg stworzył. On to rzekł do niewiasty: «Czy rzeczywiście Bóg powiedział: Nie jedzcie owoców ze wszystkich drzew tego ogrodu?» Niewiasta odpowiedziała wężowi: «Owoce z drzew tego ogrodu jeść możemy, tylko o owocach z drzewa, które jest w środku ogrodu, Bóg powiedział: Nie wolno wam jeść z niego, a nawet go dotykać, abyście nie pomarli». Wtedy rzekł wąż do niewiasty: «Na pewno nie umrzecie! Ale wie Bóg, że gdy spożyjecie owoc z tego drzewa, otworzą się wam oczy i tak jak Bóg będziecie znali dobro i zło». Wtedy niewiasta spostrzegła, że drzewo to ma owoce dobre do jedzenia, że jest ono rozkoszą dla oczu i że owoce tego drzewa nadają się do zdobycia wiedzy. Zerwała więc z nie-

Grzech pierworodny – Rafael

go owoc, skosztowała i dała swemu mężowi, który był z nią: a on zjadł. A wtedy otworzyły się im obojgu oczy i poznali, że są nadzy; spletli więc gałązki figowe i zrobili sobie przepaski. Gdy zaś mężczyzna i jego żona usłyszeli kroki Pana Boga przechadzającego się po ogrodzie, w porze kiedy był powiew wiatru, skryli się przed Panem Bogiem wśród drzew ogrodu. Pan Bóg zawołał na mężczyznę i zapytał go: «Gdzie jesteś?»
On odpowiedział: «Usłyszałem Twój głos w ogrodzie, przestraszyłem się, bo jestem nagi, i ukryłem się».
Rzekł Bóg: «Któż ci powiedział, że jesteś nagi? Czy może zjadłeś z drzewa, z którego ci zakazałem jeść?»
Mężczyzna odpowiedział: «Niewiasta, którą postawiłeś przy mnie, dała mi owoc z tego drzewa i zjadłem».
Wtedy Pan Bóg rzekł do niewiasty: «Dlaczego to uczyniłaś?» Niewiasta odpowiedziała: «Wąż mnie zwiódł i zjadłam».
(Wtedy Pan Bóg) do niewiasty powiedział: «Obarczę cię niezmiernie wielkim trudem twej brzemienności, w bólu będziesz rodziła dzieci, ku twemu mężowi będziesz kierowała swe pragnienia, on zaś będzie panował nad tobą».
Do mężczyzny zaś [Bóg] rzekł: «Ponieważ posłuchałeś swej żony i zjadłeś z drzewa, co do którego dałem ci rozkaz w słowach: Nie będziesz z niego jeść – przeklęta niech będzie ziemia z twego powodu: w trudzie będziesz zdobywał od niej pożywienie dla siebie po wszystkie dni swego życia. Cierń i oset będzie ci ona rodziła, a przecież pokarmem twym są płody roli. W pocie więc oblicza twego będziesz musiał zdobywać pożywienie, póki nie wrócisz do ziemi, z której zostałeś wzięty; bo prochem jesteś i w proch się obrócisz!»
Dlatego Pan Bóg wydalił go z ogrodu Eden, aby uprawiał ziemię, z której został wzięty. Wygnawszy zaś człowieka, Bóg postawił przed ogrodem Eden cherubów i połyskujące ostrze miecza, aby strzec drogi do drzewa życia".

(Rdz 3,1-13.16-19.23-24)

Bóg stworzył człowieka z miłości i dla miłości, a on, zamiast oddać Bogu chwałę, uległ wpływom szatana i stał się względem Niego nieposłuszny.

Skutki pierwszego nieposłuszeństwa okazały się bardzo poważne. Ludzie odtąd są śmiertelni:

„Na skutek grzechu pierworodnego natura ludzka została osłabiona w swoich władzach, poddana niewiedzy, cierpieniu i panowaniu śmierci; jest ona skłonna do grzechu (ta skłonność nazywa się «pożądliwością»)".

(KKK 418)

Została zerwana nić przyjaźni z Bogiem:

„Przez swój grzech Adam, jako pierwszy człowiek, utracił pierwotną świętość i sprawiedliwość, które otrzymał od Boga nie tylko dla siebie, lecz dla wszystkich ludzi".

(KKK 416)

Odtąd każdy przychodzący na świat człowiek nosi w sobie ranę grzechu pierworodnego:

„Adam i Ewa przekazali swojemu potomstwu naturę ludzką zranioną przez ich pierwszy grzech, a więc pozbawioną pierwotnej świętości i sprawiedliwości. To pozbawienie jest nazywane «grzechem pierworodnym»".

(KKK 417)

Zostajemy z niego oczyszczeni przez chrzest święty.

Wygnanie Adama i Ewy – Masaccio

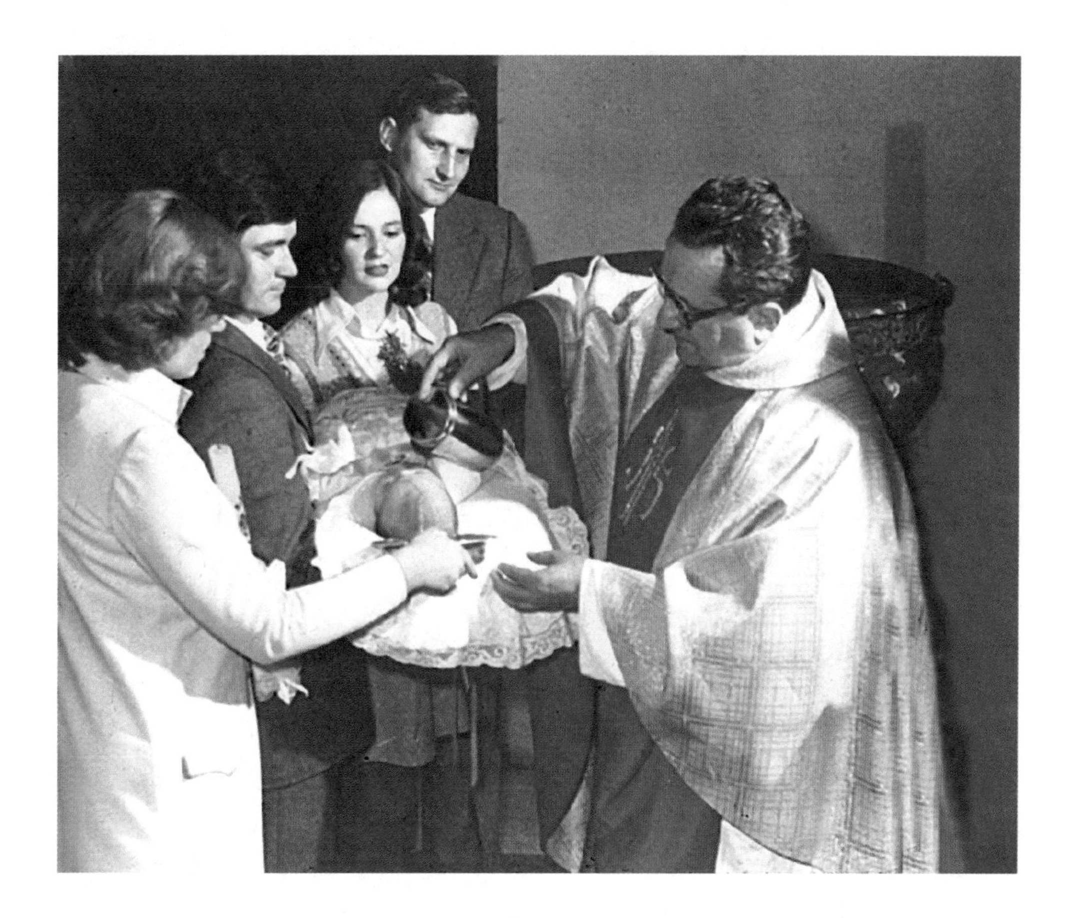

Pomyśl:

- Kiedy jest ci najtrudniej oprzeć się pokusom szatana?
- Jakie są twoje słabości?
- W jaki sposób z nimi walczysz?
- Jak często dziękujesz Bogu za to, że mimo twoich grzechów tak bardzo cię kocha?

Pieśń:

Panie, przebacz nam.
Ojcze, zapomnij nam.
Zapomnij nam nasze winy,
przywołaj, kiedy błądzimy.
Ojcze, zapomnij nam.

Zadanie:

1. Napisz, jak wyglądałoby nasze życie, gdyby Adam i Ewa byli posłuszni Bogu.
2. Podziękuj swoim rodzicom za chrzest św. oczyszczający cię z grzechu pierworodnego.
3. Postaraj się codziennie wieczorem robić rachunek sumienia i przepraszaj Boga za popełnione grzechy.

13. Bóg obiecuje Zbawiciela

Grzech pierworodny osłabił ludzką naturę, czyniąc ją podatną na wpływy szatana. Św. Paweł pisze:

> „Nie ma sprawiedliwego, nawet ani jednego".
>
> (Rz 3,10)

Mimo że grzeszymy, jesteśmy dla Boga najpiękniejszym i najważniejszym stworzeniem wszechświata.

„Bóg jest dobrym Tatusiem, który nas kocha jak mama" – powiedziała dziewczynka podczas lekcji religii.
Bóg bowiem nie potępił człowieka, a jedynie zło, które on popełnił, i zapowiedział, że ześle Zbawcę, który wyzwoli ludzkość z mocy szatana.

Po upadku pierwszych ludzi Bóg powiedział do węża:

> „Ponieważ to uczyniłeś, bądź przeklęty wśród wszystkich zwierząt domowych i polnych: na brzuchu będziesz się czołgał i proch będziesz jadł po wszystkie dni swego istnienia. Wprowadzam nieprzyjaźń między ciebie i niewiastę, pomiędzy potomstwo twoje a potomstwo jej; ono zmiażdży ci głowę, a ty zmiażdżysz mu piętę".
>
> (Rdz 3,14-15)

O tym potomku, Zbawicielu świata, prorok Izajasz pisze, że na nowo pojedna On świat ze swym Stwórcą i przywróci w nim pierwotną harmonię:

> „Dlatego Pan sam da wam znak: Oto Panna pocznie i porodzi Syna, i nazwie Go imieniem Emmanuel".
>
> (Iz 7,14)

Zwiastowanie – Sandro Botticelli

„Albowiem Dziecię nam się narodziło, Syn został nam dany, na Jego barkach spoczęła władza. Nazwano Go imieniem: Przedziwny Doradca, Bóg Mocny, Odwieczny Ojciec, Książę Pokoju. Wielkie będzie Jego panowanie w pokoju bez granic na tronie Dawida i nad jego królestwem, które On utwierdzi i umocni prawem i sprawiedliwością, odtąd i na wieki".

(Iz 9,5-6)

„Upodoba sobie w bojaźni Pańskiej. Nie będzie sądził z pozorów ni wyrokował według pogłosek; raczej rozsądzi biednych sprawiedliwie i pokornym w kraju wyda słuszny wyrok. Rózgą swoich ust uderzy gwałtownika, tchnieniem swoich warg uśmierci bezbożnego. Sprawiedliwość będzie mu pasem na biodrach, a wierność przepasaniem lędźwi. Wtedy wilk zamieszka wraz z barankiem, pantera z koźlęciem razem leżeć będą, cielę i lew paść się będą społem i mały chłopiec będzie je poganiał. Krowa i niedźwiedzica przestawać będą przyjaźnie, młode ich razem będą legały. Lew też jak wół będzie jadał słomę. Niemowlę igrać będzie na norze kobry, dziecko włoży swą rękę do kryjówki żmii. Zła czynić nie będą ani zgubnie działać po całej świętej mej górze, bo kraj się napełni znajomością Pana, na kształt wód, które przepełniają morze".

(Iz 11,3-9)

„Bogu niech będą dzięki za to, że dał nam odnieść zwycięstwo przez Pana naszego Jezusa Chrystusa".

(1 Kor 15,57)

Zapowiedzianym Zbawicielem jest Jezus, który pośredniczy między tobą a Bogiem. Dzięki Niemu możesz mimo swej grzeszności czuć się najukochańszym dzieckiem Boga i opowiadać o wspaniałych dziełach, jakie uczynił On dla ludzi. Jezus przyszedł na świat po to, aby zniszczyć ciemności zła. Przychodzi, aby ci powiedzieć:

KOCHAM CIĘ
I DAJĘ CI ŻYCIE WIECZNE.

Pomyśl:

- Kim jest dla ciebie Jezus Chrystus?
- W jaki sposób wyrażasz wdzięczność za dar zbawienia?
- Jak dziękujesz Jezusowi za ofiarę złożoną na krzyżu?

Zadanie:

W oparciu o werset 1 Kor 15,57 napisz, co znaczy „odnieść zwycięstwo przez Pana naszego, Jezusa Chrystusa" nad złem.

14. Oczekujemy przyjścia Chrystusa w chwale – uroczystość Chrystusa Króla

Wyobraź sobie, że jesteś królem. Mieszkasz we wspaniałym zamku, nosisz na głowie koronę wysadzaną drogimi kamieniami. Twój skarbiec przepełniony jest złotem. Twoja służba pokornie wypełnia rozkazy, a naród śpiewa o tobie pochwalne pieśni...

Myślisz, że łatwo jest być głową państwa? Jakim człowiekiem musi być król, aby jego królestwo rosło w siłę, a ludzie byli szczęśliwi?

Proroctwo Izajasza, które poznałeś na poprzedniej katechezie, wypełniło się w Jezusie Chrystusie – Królu Wszechświata.

Od chwili chrztu właśnie do Niego należysz, dlatego możesz wołać z radością:

Króluj nam, Chryste, zawsze i wszędzie –
to nasze rycerskie hasło,
ono nas zawsze prowadzić będzie
i świecić jak słońce jasno.

Oddając cześć Chrystusowi jako Panu Wszechświata, Kościół ustanowił święto na Jego cześć. Obchodzimy je w ostatnią niedzielę roku liturgicznego. Panowanie Chrystusa oparte jest na miłości. Jezus kocha swój lud, jest sprawiedliwy, pokorny, jest Królem doskonałym we wszystkim, co czynił i czyni. Ta wielka miłość i troska doprowadziły Go aż na krzyż.

Przed odejściem z tego świata Jezus obiecał, że do nas wróci, abyśmy mogli się z Nim spotkać na uczcie niebieskiej.

Panie, Ojcze Święty, wszechmogący wieczny Boże, Ty namaściłeś olejem wesela Jednorodzonego Syna Twojego, Pana naszego, Jezusa Chrystusa, wiekuistego Kapłana i Króla Wszechświata, aby dopełnił Tajemnicy Odkupienia rodzaju ludzkiego, ofiarując siebie samego na ołtarzu krzyża, jako niepokalaną ofiarę pojednania, i aby poddawszy swej władzy wszystkie stworzenia, przekazał nieskończonemu Majestatowi Twojemu wieczne i powszechne królestwo: królestwo prawdy i życia, królestwo świętości i łaski, królestwo sprawiedliwości, miłości i pokoju.

(prefacja z uroczystości Chrystusa Króla).

Wszechmogący wieczny Boże, Ty postanowiłeś wszystko poddać umiłowanemu Synowi Twojemu, Królowi Wszechświata, spraw, aby całe stworzenie, wyswobodzone z niewoli grzechu, Tobie służyło i bez końca Ciebie chwaliło. Przez naszego Pana, Jezusa Chrystusa, Twojego Syna, który z Tobą żyje i króluje w jedności Ducha Świętego, Bóg przez wszystkie wieki wieków.

Jeśli pokochasz Jezusa i przyjmiesz Go jako osobistego Pana i Króla, to pełen radości będziesz mógł oczekiwać na Jego powtórne przyjście.

Pomyśl:

- Czy uznałeś już Jezusa za swojego Pana i Króla?
- Jak Mu służysz?
- Co robisz, aby królestwo Chrystusowe wzrastało na ziemi?

Zapamiętaj:

„Królestwo Boże przybliżyło się w Słowie Wcielonym, jest głoszone w całej Ewangelii, przyszło w śmierci i zmartwychwstaniu Chrystusa. Od ostatniej wieczerzy królestwo Boże przychodzi w Eucharystii: jest pośród nas. Królestwo przyjdzie w chwale, gdy Chrystus przekaże je swojemu Ojcu".

(KKK 2816)

Pieśni:

Król królów, Pan panów.
Chwała, alleluja!
Jezus, Książę Pokoju.
Chwała, alleluja!

* * *

Chrystus Wodzem, Chrystus Królem, Chrystus Władcą nam.

* * *

Jezus Królem naszym jest,
Jezus nasz umiłowany.

Daj wielki pokój nam.
O wstań i zajaśniej nad nami,
O wstań, wielki Boże nasz,
O wstań i zajaśniej nad nami.

Zadanie:

1. Wykonaj ilustrację do jednej z trzech Ewangelii, czytanych w uroczystość Chrystusa Króla: Mt 25,31-46; J 18,33-37a; Łk 23,35-43.
2. Ułóż kilka zagadek lub rebusów na temat królestwa Bożego.

III
Adwent – zapowiedź odkupienia

„Jeden dzień u Pana jest jak tysiąc lat,
a tysiąc lat jak jeden dzień.
Nie zwleka Pan z wypełnieniem obietnicy –
bo niektórzy są przekonani, że Pan zwleka –
ale On jest cierpliwy w stosunku do was.
Nie chce bowiem niektórych zgubić,
ale wszystkich doprowadzić do nawrócenia".

(2 P 3,8b-9)

15. Oczekujemy Zbawiciela – Adwent

Bardzo lubię Roraty

Bardzo lubię Roraty.
Roraty są w Adwencie.
Dzieciątko Jezus powolutku schodzi
do żłóbka.
Pachnie sianem
i dobrymi uczynkami dzieci.
Jedyna świeca, najwyższa z kokardą,
świeci bardzo jasno –
świeca roratnia –
jest jak Najświętsza Panienka,
która Dzieciątko przynosi na rękach.

(Z uśmiechem w życie, Kielce 1996, s. 7)

Kiedy musisz podjąć jakąś ważną decyzję, wykonać powierzone ci zadanie czy przyjąć do swojego domu dawno oczekiwanego gościa, musisz poświęcić wiele czasu na przygotowanie się. Od dobrego przygotowania zależą późniejsze sukcesy i radość spotykających się ludzi.

Kościół w roku liturgicznym przeżywa taki właśnie czas przygotowań: na przyjście Chrystusa przy końcu czasów, teraz i w godzinę naszej śmierci. Okres ten nazywamy Adwentem. Jezus Chrystus w Ewangelii św. Łukasza zachęca nas:

„Niech będą przepasane biodra wasze i zapalone pochodnie! A wy [bądźcie] podobni do ludzi, oczekujących swego pana, kiedy z uczty weselnej powróci, aby mu zaraz otworzyć, gdy nadejdzie i zakołacze. Szczęśliwi owi słudzy, których pan zastanie czuwających, gdy nadejdzie. Zaprawdę, powiadam wam: Przepasze się i każe im zasiąść do stołu, a obchodząc będzie im usługiwał. Czy o drugiej, czy o trzeciej straży przyjdzie, szczęśliwi oni, gdy ich tak zastanie. A to rozumiejcie, że gdyby gospodarz wiedział, o której godzinie złodziej ma przyjść, nie pozwoliłby włamać się do swego domu. Wy też bądźcie gotowi, gdyż o godzinie, której się nie domyślacie, Syn Człowieczy przyjdzie".

(Łk 12,35-40)

Jeśli chcesz, aby twoje spotkanie z Chrystusem było pełne radości, musisz już dziś wejść na drogę modlitwy, pokuty i nawrócenia. Na nic się przyda twój czas wiary, jeśli nie będziesz doskonały w ostatniej godzinie życia. Stąd czuwać należy stale. Wzorem oczekiwania na spełnienie się wszystkich obietnic Bożych jest Maryja, która z pokorą zachowywała i rozważała w swoim sercu wszystko, co powiedział jej Pan. W Adwencie przypomina Ją świeca, zwana roratnią („roratka").

Pomyśl:

- Co zrobisz, aby dobrze przygotować się na spotkanie z Jezusem Chrystusem?
- Jakie są twoje adwentowe wyrzeczenia?
- Czy pamiętasz o oczyszczeniu duszy z grzechów w sakramencie pokuty i pojednania?
- Jak będziesz uczestniczyć w roratach?

Adwent to przygotowanie do uroczystości Bożego Narodzenia, do spotkania z Chrystusem w chwili naszej śmierci i w dniu Jego powtórnego przyjścia na ziemię.

Roraty to nabożeństwo ku czci Najświętszej Maryi Panny oczekującej narodzin Jezusa, odprawiane podczas Adwentu.

Pieśni:

Czekam na Ciebie, dobry Boże,
przyjdź do mnie, Panie, pospiesz się.
Niechaj mi łaska Twa pomoże,
chcę czystym sercem przyjąć Cię.

Przyjdź do mnie, Panie,
mój Dobry Boże,
przyjdź i nie spóźniaj się.
Przyjdź do mnie, Panie,
przyjdź z łaską swoją,
przyjdź i nie spóźniaj się.

Wśród licznych trosk i niepokojów,
kiedy już sił nie starcza nam,
karmisz nas, Panie, swoim Ciałem,
Tyś nasza moc, nasz Bóg i Pan.

* * *

Marana tha! Przyjdź, Jezu Panie,
w swej chwale do nas zejdź!
Marana tha! Usłysz wołanie,
gdy się wypełnią wieki.

Jak rosy chłód na spragniony grunt,
jak dobry chleb na głodnego dłoń –
Marana tha!..

W Dzieciątku Ty objawiasz się nam,
przez wichru szum dajesz poznać się.

W Kościele Twym, gdzie dajesz się nam
przez Ciała, Krwi tajemniczą moc.

Gdy miłość swą okażemy w krąg,
przychodzisz już dziś na ziemię swą.

Zadanie:

1. Podczas modlitwy wieczornej przemyśl, co nam obiecuje Chrystus w słowach Ewangelii św. Łukasza: „Szczęśliwi owi słudzy, których pan zastanie czuwających, gdy nadejdzie" (Łk 12,37).
   Swoje refleksje wpisz do zeszytu.

16. Przeżywamy Adwent, trwając na modlitwie

„We mnie panuje ciemność,
w Tobie, mój Boże, światło.
Jestem samotny,
Ty jesteś dla mnie pomocą.
Przepełnia mnie trwoga,
w Tobie odnajduję pokój.
We mnie jest gorycz,
w Tobie zaś cierpliwość.
Ja sam nie znam Twoich dróg,
Ty jednak znasz właściwą drogę dla mnie".

(Dietrich Bonhoeffer)

W drodze prowadzącej cię na spotkanie z Chrystusem niejednokrotnie potkniesz się o przeszkody stawiane przez szatana. Dlatego potrzebujesz skutecznej broni do walki z nim. Tą bronią jest modlitwa. Jezus zachęca nas do niej, mówiąc:

„Czuwajcie więc i módlcie się w każdym czasie, abyście mogli uniknąć tego wszystkiego, co ma nastąpić, i stanąć przed Synem Człowieczym".

(Łk 21,36)

„To, co jest modlitwą,
ukrywa się głęboko w naszej duszy
i znane jest tylko Bogu;
niekoniecznie wyraża się w słowach
lub w innych znakach!"

(Jan Zieja)

Modlitwa powinna stać się twoim pokarmem, źródłem mocy w czasie oczekiwania na spotkanie z Jezusem Chrystusem. Nie może ona w twoim życiu występować tylko sporadycznie. Jeśli dwoje ludzi bardzo się kocha, to ich spotkania są częste i ciągle im mało czasu na wspólne rozmowy. Może musisz zadać sobie dzisiaj pytanie: czy naprawdę kocham Jezusa, mojego Zbawiciela? Jeżeli Go kochasz, to biegnij co dzień na spotkanie z Nim i nie ograniczaj czasu na modlitwę, ale spróbuj każdorazowo dodawać do waszego spotkania jedną minutę. Zobaczysz, że z czasem nie będziesz już mógł żyć bez modlitwy. I dopiero wówczas zrozumiesz, co to znaczy trwać w radosnej obecności z Jezusem.

Pomyśl:

Czym jest dla ciebie modlitwa?

- odmawianiem pacierza rano i wieczorem?
- bezmyślną recytacją wyuczonych formuł?
- wołaniem do Boga tylko w krytycznych sytuacjach?
- czasem, w którym przedstawiasz Bogu listę twoich potrzeb, zachcianek, życzeń?
- rozmową serca z sercem, kiedy słowa nie są najważniejsze?
- przekonaniem o nieustannej obecności Jezusa przy tobie?
- uwielbieniem i dziękczynieniem za wszystko, co było, co jest i co będzie?

Pieśń:

Ani brat mój, ani siostra,
tylko, Panie, ja muszę więcej
modlić się.

Tak – ja, tak – ja, tak, Panie, ja
muszę więcej modlić się.

Zapamiętaj:

„Aby stać się świętymi, potrzebujemy pokory i modlitwy".

(Matka Teresa z Kalkuty)

Gdy wydaje nam się, że powiedzieliśmy Bogu już wszystko, co mieliśmy do powiedzenia, albo gdy nie umiemy modlić się „jak trzeba", wtedy Duch Święty przychodzi z pomocą naszej słabości, wstawia się za nami w błaganiach i sprawia, że wchodzimy w głęboki osobisty kontakt z Bogiem. Proś zatem Ducha Świętego, aby pomógł ci się modlić. Proś o dar żarliwej, dobrej modlitwy.

Zadanie:

1. Naucz się na pamięć wiersza i módl się jego słowami:

Naucz mnie Jezu
modlić się
nigdy nie do syta
nigdy nie na zapas
nigdy nie za późno
nigdy nie na pokaz
nigdy byle jak
ale
każdego dnia
na nowo
pięknie z radością
zawsze pierwszy raz

(Robert Kroker, w: Gość Niedzielny nr 33/1995)

2. Módl się codziennie w intencji ludzi potrzebujących pomocy.

17. Niepokalane Poczęcie Najświętszej Maryi Panny – Maryja jest wolna od grzechu pierworodnego

8 grudnia Kościół obchodzi uroczystość Niepokalanego Poczęcia Najświętszej Maryi Panny, wierząc głęboko, że Maryja już od chwili swego poczęcia była wolna od grzechu pierworodnego, czyli niepokalanie poczęta. W swym życiu nigdy nie uległa szatanowi, nie popełniła żadnego grzechu. Bóg Ją wybrał na Matkę swojego Syna i dlatego została obdarowana przez Niego łaską Bożej przyjaźni – życiem Bożym.

KKK stwierdza:

„W ciągu wieków Kościół uświadomił sobie, że Maryja, napełniona «łaską» przez Boga (Łk 1,28), została odkupiona od chwili swego poczęcia. Właśnie to wyraża dogmat Niepokalanego Poczęcia, ogłoszony w 1854 r. przez papieża Piusa IX: «Najświętsza Maryja Dziewica od pierwszej chwili swego poczęcia, przez łaskę i szczególny przywilej Boga wszechmogącego, na mocy przewidzianych zasług Jezusa Chrystusa, Zbawiciela rodzaju ludzkiego, została zachowana nienaruszona od wszelkiej zmazy grzechu pierworodnego»". (KKK 491)

Pieśń:

O Mario, czemu pobladłaś?
Tyś można jak inna żadna,
bo poczniesz Króla nad króle,
a nazwą Go Emmanuel.

Nie trwóż się, Mario Lilijo,
Dzieciątko święte powijesz.
Siankiem Mu żłóbek wyścielesz,
gdy błyśnie gwiazda w Betlejem.

Radować wszyscy się będą,
muzyką chwalić, kolędą,
bić będą niskie pokłony
przed Twoim Jednorodzonym.

Nadzieje ludów spełnione,
bo Ciałem stanie się Słowo.
Niech będzie błogosławiony
żywota Twojego owoc!

Boże, Ty przez Niepokalane Poczęcie Najświętszej Dziewicy przygotowałeś swojemu Synowi godne mieszkanie i na mocy zasług przewidzianej śmierci Chrystusa zachowałeś Ją od wszelkiej zmazy, daj nam za Jej przyczyną dojść do Ciebie bez grzechu. Przez naszego Pana, Jezusa Chrystusa, Twojego Syna, który z Tobą żyje i króluje w jedności Ducha Świętego, Bóg przez wszystkie wieki wieków.

Wśród czcicieli Maryi Niepokalanej są też wielcy Polacy, którzy powierzając Jej swoje życie, dokonywali niezwykłych dzieł dla Boga, Kościoła i Ojczyzny.

- ***Św. Maksymilian Maria Kolbe, wielki czciciel Niepokalanej, oddał życie za ojca rodziny w obozie koncentracyjnym w Oświęcimiu.***

- ***Kardynał Stefan Wyszyński, prymas Polski w latach komunizmu. W czasach walki z Kościołem zawierzył Ojczyznę Matce Bożej Częstochowskiej – Królowej Polski. W ten sposób uratował wiarę narodu i wprowadził go w drugie tysiąclecie chrześcijaństwa.***

- ***Jan Paweł II. Jego hasłem są słowa „Totus tuus" (Cały Twój, Maryjo). Rozpoczynając swój pontyfikat na stolicy św. Piotra, zawierzył świat Maryi, doprowadził do pojednania skłócone narody, odbył niezliczoną ilość pielgrzymek do różnych krajów na całym świecie.***
  W dniu 13 V 1981 r., w rocznicę objawień Matki Bożej Fatimskiej, został cudownie ocalony od kul zamachowca.

Zadanie:

1. Jeżeli pragniesz dobrze przeżyć swoje życie, oddaj się Maryi, a Ona cię poprowadzi prostą drogą do Boga.

AKT ODDANIA SIĘ MATCE BOŻEJ

Matko Boża, Niepokalana Maryjo,
Tobie poświęcam ciało i duszę moją,
wszystkie modlitwy i prace,
radości i cierpienia,
wszystko, czym jestem i co posiadam.
Ochoczym sercem oddaję się Tobie
w niewolę miłości.
Pozostawiam Ci zupełną swobodę posługiwania się mną dla zbawienia ludzi
i ku pomocy Kościołowi świętemu, którego jesteś Matką.
Chcę odtąd wszystko czynić z Tobą, przez Ciebie i dla Ciebie.
Wiem, że własnymi siłami niczego nie dokonam.
Ty zaś wszystko możesz, co jest wolą Twojego Syna, i zawsze zwyciężasz.
Spraw więc, Wspomożycielko Wiernych, aby moja rodzina, parafia i cała Ojczyzna
była rzeczywistym królestwem Twego Syna i Twoim. Amen.

2. Naucz się na pamięć tego aktu lub modlitwy Rycerstwa Niepokalanej.

18. Jan Chrzciciel wzywa do pokuty i nawrócenia

„Grzechem najbardziej śmiertelnym jest pełna pychy świadomość, że się jest bez grzechu!"

(Thomas Carlyle)

„Łatwo jest nawracać innych, lecz bardzo trudno nawrócić samego siebie".

(Oscar Wilde)

Pan Bóg wie, jak bardzo jesteś słaby i jak często ulegasz wpływom Złego – szatana. Bóg Ojciec nieustannie otacza cię więc swoją przebaczającą miłością i pragnie, abyś Mu zaufał.

O tej miłości Bóg pouczał przez proroków, przygotowując swój lud na spotkanie z Mesjaszem. Ostatnim z nich był św. Jan Chrzciciel.

Nauczanie św. Jana Chrzciciela – Paolo Veronese

„Jan nosił odzienie z sierści wielbłądziej i pas skórzany około bioder, a jego pokarmem była szarańcza i miód leśny. Wówczas ciągnęły do niego Jerozolima oraz cała Judea i cała okolica nad Jordanem. Przyjmowano od niego chrzest w rzece Jordanie, wyznając przy tym swe grzechy".

(Mt 3,4-6)

Natchniony przez Boga, zapowiadał rychłe nadejście Mesjasza. Wzywał do nawrócenia i życia w prawdzie i miłości.

„Kto ma dwie suknie, niech [jedną] da temu, który nie ma; a kto ma żywność, niech tak samo czyni".

(Łk 3,11)

Tych, którzy uporczywie trwali w swoich grzechach, ostrzegał:

„Już siekiera do korzenia drzew jest przyłożona. Każde więc drzewo, które nie wydaje dobrego owocu, będzie wycięte i w ogień wrzucone".

(Łk 3,9)

Jesteś powołany do świętości. Bóg tak bardzo cię kocha, że pozwolił, aby Jego Syn ofiarował się na krzyżu za twoje grzechy, byś mógł uczestniczyć w Jego miłości. On czeka cierpliwie na twoją przemianę, na to, że wreszcie zrozumiesz, że tylko z Bogiem i w Bogu możesz żyć pełnią życia, patrząc z nadzieją w przyszłość.

To jest wspaniały plan Boga wobec ciebie. Plan zbawienia.

Pomyśl:

- Jak odpowiadasz Bogu na wezwanie do pokuty i nawrócenia?
- Jakim jesteś synem, córką?
- Jakim jesteś bratem, siostrą?
- Jakim jesteś uczniem, kolegą, przyjacielem?

Zapamiętaj:

Nawrócenie to odejście od wszystkiego, co nie jest Boże, i zdecydowane zwrócenie się do Boga. Towarzyszy temu żal, że doszło do grzechu, i radość, że wraca się na drogę prawdy.

„Z głębokości wołam do Ciebie, Panie,
Panie, wysłuchaj głosu mego!
Nachyl swe ucho
na głos mojego błagania.
Jeśli zachowasz pamięć o grzechach, Panie,
Panie, któż się ostoi?
Ale Ty udzielasz przebaczenia,
aby Ci ze czcią służono.
Pokładam nadzieję w Panu,
dusza moja pokłada nadzieję w Jego słowie,
Dusza moja oczekuje Pana.
Bardziej niż strażnicy poranka
niech Izrael wygląda Pana.
U Pana jest bowiem łaska,
u Niego obfite odkupienie.
On odkupi Izraela
ze wszystkich jego grzechów”.

(Ps 130)

Pieśń:

Ciągle zaczynam od nowa,
choć czasem w drodze upadam.
Wciąż jednak słyszę te słowa:
„Kochać to znaczy powstawać”.

Chciałem Ci w chwilach uniesień
życie poświęcić bez reszty.
Spójrz, moje ręce są puste,
stoję ubogi, ja, grzesznik.
Przyjm moją małość, o Panie,
weź serce me, jakie jest.

Teraz już wiem, jak Cię kochać,
przyjm moje „teraz”, o Panie.
Dziś rozpoczynam od nowa,
bo kochać to znaczy powstawać.

Zadanie:

1. Pracuj nad pozbyciem się grzechu, który najbardziej rani Boga i bliskich ci ludzi.
2. Postaraj się dobrym uczynkiem sprawić radość twoim najbliższym.
3. Skorzystaj z sakramentu pokuty i pojednania w czasie rekolekcji adwentowych.

19. „Cóż więc mamy czynić?” – moje dobre uczynki

„Zaprawdę, powiadam wam: Wszystko, co uczyniliście jednemu z tych braci moich najmniejszych, Mnieście uczynili”.

(Mt 25,40b)

Jeśli wrócisz do poprzedniej katechezy, zobaczysz, że Jan Chrzciciel, mówiąc o nawróceniu, wzywał do pokuty i do konkretnych czynów miłości. Podobnie naucza Pan Jezus.

Bóg obdarzył nas swoją miłością i wzywa nas do tego, abyśmy się wzajemnie miłowali. Z tego, jak kochaliśmy innych ludzi, będziemy kiedyś musieli przed Bogiem zdać sprawę.

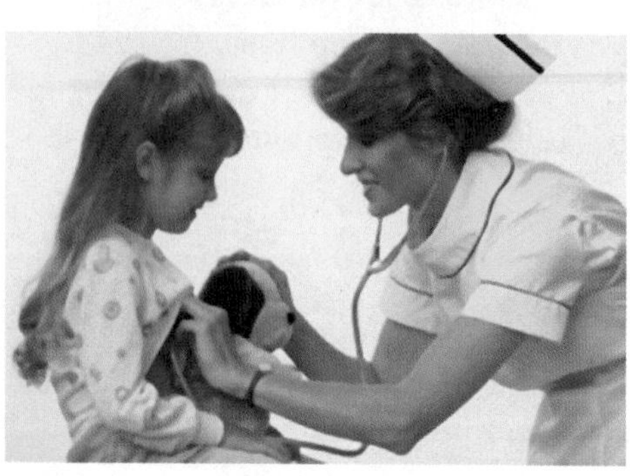

„Wtedy odezwie się Król do tych po prawej stronie: «Pójdźcie, błogosławieni Ojca mojego, weźcie w posiadanie królestwo, przygotowane wam od założenia świata.
Bo byłem głodny, a daliście Mi jeść; byłem spragniony, a daliście Mi pić; byłem przybyszem, a przyjęliście Mnie; byłem nagi, a przyodzialiście Mnie; byłem chory, a odwiedziliście Mnie; byłem w więzieniu, a przyszliście do Mnie».
Wówczas zapytają sprawiedliwi: «Panie, kiedy widzieliśmy Cię głodnym i nakarmiliśmy Ciebie? spragnionym i daliśmy Ci pić?
Kiedy widzieliśmy Cię przybyszem i przyjęliśmy Cię? lub nagim i przyodzialiśmy Cię?
Kiedy widzieliśmy Cię chorym lub w więzieniu i przyszliśmy do Ciebie?»
A Król im odpowie: «Zaprawdę, powiadam wam: Wszystko, co uczyniliście jednemu z tych braci moich najmniejszych, Mnieście uczynili»”.

(Mt 25,34-40)

Po zapoznaniu się z tym fragmentem Ewangelii może ci się wydawać, że tak naprawdę to nigdy nie zasłużysz na zbawienie, ponieważ nie nakarmiłeś, nie przyodziałeś, nie odwiedziłeś, nie podałeś kubka wody...

Twoje dobre uczynki nie muszą być wielkie, wywołujące burzę oklasków, podziw, nagrody, oficjalne wyrazy wdzięczności. Ich źródłem musi być zawsze szczera miłość Boga i bliźniego.

Będziemy sądzeni z miłości!

Dobro czynione z miłości, choć nie jest przez nikogo zauważane, dostrzega Bóg. On zna nasze serca i stać Go na hojną nagrodę.

Pomyśl:

- Kiedy ostatnio bezinteresownie wyświadczyłeś dobro drugiemu człowiekowi?
- Kto szczególnie potrzebuje twoich dobrych uczynków?
- Co dobrego możesz zrobić dzisiaj?

Pieśń:

Potrzebuje cię Chrystus, by miłować.
Potrzebuje cię Chrystus, aby kochać.

Nie pogardzaj człowiekiem, chociaż inną skórę ma,
kochaj wszystkich jak braci, pomóż im.

Zasmuconych, co płaczą, masz miłować,
biednym ludziom w udręce miłość dać.
Tych, co idą przy Tobie, masz miłować,
i nieznanym, dalekim, miłość dać.

Ludzi innych języków masz miłować,
tym, co myślą inaczej, miłość dać.
Swych przyjaciół serdecznych masz miłować,
i tym, co znać cię nie chcą, miłość dać.

Zapamiętaj:

Uczynki miłosierne co do ciała:

głodnych nakarmić
spragnionych napoić
nagich przyodziać
podróżnych w dom przyjąć
więźniów pocieszać
chorych odwiedzać
umarłych grzebać

Zadanie:

1. Opisz lub narysuj twój dobry uczynek, który sprawił bliźniemu radość.
2. W swojej codziennej modlitwie pamiętaj o ubogich i potrzebujących pomocy.

„Ten daje najwięcej, kto daje z radością".

(Matka Teresa z Kalkuty)

IV
Boże Narodzenie – czas spełnionej obietnicy

Do szopy, hej pasterze,
do szopy, bo tam cud.
Syn Boży w żłobie leży,
by zbawić ludzki ród.

Śpiewajcie, aniołowie,
pasterze, grajcie Mu,
Kłaniajcie się, królowie,
nie zbudźcie Go ze snu.

Padnijmy na kolana,
to Dziecię to nasz Bóg.
Uczcijmy z niebios Pana,
wdzięczności złóżmy dług.

20. „Słowo stało się ciałem” – Boże Narodzenie

Pieśń:

Bóg się rodzi, moc truchleje:
Pan niebiosów – obnażony,
ogień krzepnie – blask ciemnieje,
ma granice – Nieskończony:
wzgardzony – okryty chwałą,
śmiertelny – Król nad wiekami;
a Słowo ciałem się stało
i mieszkało między nami.

Cóż masz, niebo, nad ziemiany?
Bóg porzucił szczęście swoje,
wszedł między lud ukochany,
dzieląc z nim trudy i znoje;
niemało cierpiał, niemało,
żeśmy byli winni sami,
a Słowo ciałem się stało
i mieszkało między nami.

Przez cztery tygodnie Adwentu przygotowywaliśmy się do spotkania z Panem Jezusem i do owocnego przeżycia świąt Bożego Narodzenia.

Z pewnością dobrze wykorzystałeś ten czas i teraz możesz wraz z całym niebem śpiewać Panu hymn „Chwała na wysokości Bogu”.

Św. Jan pisze w Ewangelii:

„Słowo stało się ciałem”.

(J 1,14)

Jest to wielka tajemnica wcielenia Syna Bożego, który stał się naszym bratem, będąc we wszystkim do nas podobny, oprócz grzechu. Bóg posłał Go, aby pokazać, jak bardzo nas kocha, i dzięki Niemu na nowo otworzył nam drogę do nieba.

„On się objawił po to, aby zgładzić grzechy, w Nim zaś nie ma grzechu”.

(1 J 3,5)

Jezus przychodzi konkretnie do ciebie, do twojej rodziny, i pragnie napełnić was swoją miłością i radością.

Tam, gdzie jest Chrystus, tam jest miłość.
Tam, gdzie jest miłość, tam jest Chrystus.

Pomyśl:

- Jak podziękujesz Chrystusowi za to, że przyszedł na świat, aby dać ci życie wieczne?
- Co chcesz ofiarować Panu Jezusowi?
- Co postanowisz zrobić, aby czas świąt Bożego Narodzenia był w twojej rodzinie czasem radości i pokoju?

Kolęda

wigilijny opłatek
rodzina do końca nie-święta
obrus pachnący sianem
i oczy senne przymknięte
patrz
jakaś Dziecina w szopie
w światłach choinek się śni...
– to wosk ze świeczki kapie
i tylko płomyk drży
wigilijne życzenia
słowa nie-całkiem bezstronne
brudny śnieg jak zasłona
a nędza staje się tronem
w ciszy pokornej
gdy NIC zbyt wiele znaczy...

(Dorota Kot, W słoneczny ciężar oczekiwania, Kielce 1993, s. 111)

Bazylika Narodzenia Pańskiego

Na stole opłatek

Ciało Chrystusa
Podejmuję je, łamię, dzielę się
z Tobą
Jestem szczęśliwa
Dzielę się szczęściem
Uczuciem pełnym, wielkim,
świadomym, pięknym, wiecznym
Na Jego cześć
Na Jego chwałę
W imię Ojca
i Syna
i Ducha Świętego.

(Karolina Wysogląd – II Konkurs Poezji Chrześcijańskiej, Kielce 1996)

Pieśń:

Gdy się Chrystus rodzi
i na świat przychodzi,
ciemna noc w jasności
promienistej brodzi.

Aniołowie się radują,
pod niebiosy wyśpiewują:
Gloria, gloria, gloria
in excelsis Deo.

Mówią do pasterzy,
którzy trzód swych strzegli,
aby do Betlejem
czem prędzej pobiegli,

bo się narodził Zbawiciel,
wszego świata Odkupiciel.
Gloria, gloria, gloria
in excelsis Deo.

Zadanie:

1. Postaraj się, aby choć jeden samotny człowiek odczuł radość świąt Bożego Narodzenia.
2. Przygotuj zaproszenie dla rodziców na spotkanie opłatkowe w twojej klasie.
3. Zorganizujcie w klasie jasełka na spotkanie z rodzicami.

21. „Opłatek" w klasie

Choinka, która powróciła do lasu

Mały świerczek rósł przez całe lata. Zawziął się bardzo i teraz bawił się z zimowymi wichrami. Czuł się dość silny, aby oprzeć się nawet najgwałtowniejszym. Korzenie, które rozgałęziły się głęboko w ziemi, przydawały mu zuchwałej pewności.

Ale pewnego mroźnego grudniowego ranka, gdy płatki śniegu spływały leniwie, świerk poczuł, że jakieś narzędzie cięło i wyrywało mu korzenie. Wkrótce potem dwie męskie dłonie, twarde i nieprzyjemne, wyrwały go z ziemi i umieściły w bagażniku jakiegoś auta, które zaraz odjechało do miasta.

...Umieszczono go w wielkiej donicy. Ziemia w niej była świeża i świerk odczuł pewną ulgę, i zaczął mieć nadzieję. Był nawet pełen radości, gdy delikatne ręce kobiece i małe ciepłe rączki dziecinne zaczęły wplatać w jego gałązki złocone nici, kolorowe światełka i błyszczące kule.

„Uważają mnie za króla drzew – myślał. – Miałem rzeczywiście szczęście. To nie to, co stanie w zimie na śniegu..."

Przez kilka dni wszystko układało się dobrze. Świerk wyglądał wspaniale w swych świecących ozdobach. Był zadowolony również ze żłóbka, który ustawiono u jego podstawy. Wzruszony spoglądał na Maryję, Józefa i Dzieciątko leżące w żłóbku, jak również na osła i na wołu.

Wieczorem, gdy wszystkie małe lampki kolorowe były zapalone, mieszkańcy domu patrzyli na choinkę i mówili: „O, jaka jest piękna!"

Potem świerk zaczął odczuwać pragnienie. Na początku było znośnie. „Ktoś na pewno przypomni sobie i da mi trochę wody" – pocieszał się. Ale nikt o tym nie pamiętał i cierpienie drzewka stawało się straszne. Jego igły, jego wspaniałe ciemnozielone igły zaczęły żółknąć i opadać. Zdawał sobie sprawę, że powoli umiera.

Pewnego wieczoru u jego stóp złożono wiele paczuszek, zawiniętych w świecący papier i zawiązanych kolorowymi wstążeczkami. Panowało wielkie podniecenie. Potem dzieci i dorośli rozwijali te paczuszki, śmiali się, krzyczeli i ściskali się wzajemnie.

Pieśń:

Nie było miejsca dla Ciebie
w Betlejem w żadnej gospodzie,
i narodziłeś się, Jezu,
w stajni ubóstwie i chłodzie.

Nie było miejsca, choć zszedłeś
jako Zbawiciel na ziemię,
by wyrwać z czarta niewoli
nieszczęsne Adama plemię.

Nie było miejsca, choć chciałeś
ludzkość przytulić do łona
i podać z krzyża grzesznikom
zbawcze skrwawione ramiona.

Nie było miejsca, choć zszedłeś
ogień miłości zapalić
i przez swą mękę najdroższą
świat od zagłady wybawić.

Nie było miejsca, choć chciałeś
wszystkim otworzyć swe serce
i kres położyć miłośnie
ludzkiej nędzy, poniewierce.

A dzisiaj czemu wśród ludzi
tyle łez, jęku, katuszy?
Bo nie ma miejsca dla Ciebie
w niejednej człowieczej duszy...

Świerk zaledwie zdolny był pomyśleć: „Wszyscy tu mówią o miłości, ale pozwalają mi umrzeć..." Nagle dotknęła go mała rączka. Zdumiał się ogromnie; przed nim stało Dzieciątko ze żłóbka.

– Mała choinko – powiedziało Dzieciątko Jezus – czy chcesz powrócić do twego lasu, pośród swych braci?

– O tak, proszę!

– Teraz, gdy wszyscy otrzymali prezenty, nie zależy im na tobie... I na Mnie też...

Dzieciątko Jezus wzięło świerk, który nagle stał się zielony i żywy. Potem razem zniknęli w mroku nocy.

(B. Ferrero, Inne historie, Warszawa 1993, s. 64-65)

Wigilia to czas miłości, czas radości z narodzin Pana Jezusa. Przeżyj go dobrze. Niech Jezus zajmie w twoim sercu najważniejsze miejsce.

„Jeśli uśmiechniesz się do drugiego, już w twoim sercu jest BOŻE NARODZENIE".

(Matka Teresa z Kalkuty)

Z pewnością przygotowujesz już prezenty gwiazdkowe dla rodziców, rodzeństwa, koleżanki czy kolegi. Aby twój upominek nabrał głębszej wymowy, do każdego z nich dołącz jakąś ciekawą myśl, np.:

Pieśń:

Jakaś światłość nad Betlejem się rozchodzi,
w środku nocy przerażony świat się budzi.
Dzisiaj Chrystus tutaj właśnie się narodził,
do nas przyszedł, bo ukochał wszystkich ludzi.

Teraz śpij, Dziecino mała,
teraz śpij, Dziecino miła.
Ziemia bogactw Ci nie dała,
bo bez Ciebie biedną była.

Już pasterze, biedni ludzie, biegną z dala
oddać pokłon Tobie, Panu nad panami.
Myślą sobie: jakaż łaska nas spotkała,
że Bóg przyszedł, że chce zostać razem z nami?

Z obcych krajów przyszli jeszcze Trzej Królowie,
każdy myślał: coś wielkiego tu zobaczę.
Lecz zdziwili się ci wielcy monarchowie,
że ich Bóg jest malusieńki i że płacze.

Nie płacz już, Dziecino mała,
Nie płacz już, Dziecino miła.
Ziemia tym Cię zasmuciła,
że tak mocno w grzechu tkwiła.

Radosnych Świąt
Bożego Narodzenia,
pełnych miłości Boga,
ludzkiej dobroci
i obecności Jezusa,
który stał się człowiekiem
dla naszego zbawienia,
życzy

....

22. Święta Rodzina z Nazaretu – wzór dla naszych rodzin

Boże Słowo – Jezus, stało się ciałem, człowiekiem, który żył przez trzydzieści lat w wypełnionej miłością atmosferze domu rodzinnego, z Maryją i Opiekunem, Józefem. Wspominając ten dom i tych ludzi, Kościół chce dać przykład dobrego i świętego życia w rodzinie.

Uroczystość Świętej Rodziny obchodzona jest w pierwszą niedzielę po Bożym Narodzeniu.

Podczas Mszy św. modlimy się z kapłanem następującymi słowami:

Boże, Ty w Świętej Rodzinie dałeś nam wzór życia, spraw, abyśmy złączeni wzajemną miłością naśladowali w naszych rodzinach Jej cnoty i doszli do wiecznej radości w Twoim domu. Przez naszego Pana, Jezusa Chrystusa, który z Tobą żyje i króluje w jedności Ducha Świętego, Bóg przez wszystkie wieki wieków.

Rodzina Święta – Simone Martini

O tej Rodzinie papież Paweł VI, odwiedzając Nazaret, powiedział:

„Uboga, lecz piękna w swej prostocie Rodzino Święta, naucz nas drogi świętości".

„Nazaret jest szkołą, w której zaczyna się pojmować życie Jezusa: jest to szkoła Ewangelii. Tutaj przede wszystkim uczymy się patrzeć, słuchać, rozważać i przenikać głębokie i tajemne znaczenie tego prostego i jakże pięknego objawienia się Syna Bożego. Może też i całkiem nieświadomie uczymy się Go naśladować. Najpierw lekcja milczenia. Niech się odrodzi w nas szacunek dla milczenia, tej pięknej i niezastąpionej postawy ducha. Jakże jest nam ona konieczna w naszym współczesnym życiu, pełnym niepokoju i napięcia, wśród jego zamętu, zgiełku i wrzawy".

(Brewiarz, t. I, s. 378)

Pomyśl:

- Czy potrafisz milczeć?
- Jak często znajdujesz w ciągu dnia czas na spotkanie z Jezusem na modlitwie?
- Jak często w skupieniu czytasz Biblię, rozważając to, co mówi do ciebie Bóg?
- Czy nie jesteś w rodzinie powodem zdenerwowania i niezgody dla rodziców lub rodzeństwa?
- Czy stać cię na to, aby choć raz w tygodniu nie oglądać telewizji, nie słuchać głośnej muzyki?

„Jest jeszcze i lekcja życia rodzinnego. Niech Nazaret nauczy nas, czym jest rodzina, jej wspólnota miłości, jej surowe i proste piękno, jej święty i nierozerwalny charakter. Uczmy się od Nazaretu, że wychowanie rodzinne jest drogie i niezastąpione..."

(Brewiarz, t. I, s. 380)

„Wreszcie przykład pracy. O Nazaret, «domu Syna cieśli», tu właśnie chcieliśmy zrozumieć i umocnić surowe, a przynoszące zbawienie prawo ludzkiej pracy, przywrócić świadomość jej wartości..."

(Nazaret, fragmenty z przemówień papieża Pawła VI)

Pomyśl:

- Co robisz, aby w twojej rodzinie panował pokój, radość i miłość?
- Jakim jesteś synem czy córką?
- Jak traktujesz swoje rodzeństwo?
- W jaki sposób rozwiązujesz problemy rodzinne?
- Jak często prosisz Pana Jezusa o pomoc?
- W jaki sposób wyrażasz rodzicom wdzięczność za dar wychowania?
- Jak często modlisz się w intencji swoich rodziców?

Pomyśl:

- W jaki sposób reagujesz na prośby rodziców o pomoc w pracach domowych?
- Czy im pomagasz, opiekując się rodzeństwem?
- Czy rzetelnie i chętnie uczysz się i wykonujesz należące do ciebie obowiązki w szkole i w domu?
- Czy szanujesz pracę swoich rodziców i dziękujesz za ich trud?
- Jak często dziękujesz Panu Bogu za to, że rodzice pracują, lub prosisz o szybkie znalezienie pracy dla nich?

Zadanie:

1. Będąc kochającym synem lub córką, módl się często słowami:
   „Panie Jezu, poddany Maryi i Józefowi, naucz nas pokory i bezinteresownej miłości wobec naszych rodziców i rodzeństwa. Chryste, którego ludzie nazywali synem cieśli, naucz nas gorliwości w pracy i nauce.
   Panie Jezu, Ty w nazaretańskiej Rodzinie czyniłeś postępy w mądrości i latach, w łasce u Boga i ludzi, spraw, abyśmy byli podobni do Ciebie i wprowadzali do naszych rodzin pokój, radość i miłość".
2. Wklej do zeszytu fotografię swojej rodziny.

23. Bóg objawia nam swojego Syna

Uroczystość Objawienia Pańskiego zaliczana jest do ważnych uroczystości w roku liturgicznym, ponieważ oddaje cześć Jezusowi, który jest zapowiedzianym Mesjaszem i narodził się dla zbawienia wszystkich ludzi. Objawiając się poganom, zapowiada, że przyszedł do wszystkich bez wyjątku, bez względu na rasę, narodowość czy wyznawaną religię, i pragnie zbawienia każdego człowieka.

Mędrcy adorujący Dzieciątko Jezus reprezentują właśnie tych ludzi różnych ras, języków i narodów, którzy składają hołd Bogu w osobie Jezusa Chrystusa – Króla Wszechświata.

Skarby ofiarowane przez Mędrców symbolizują tradycyjne podarunki, składane królowi (złoto), kapłanowi (kadzidło) i człowiekowi śmiertelnemu (mirra).

Wszechmogący Boże, wejrzyj łaskawie na dary swojego Kościoła, nie są już nimi złoto, kadzidło i mirra, lecz Jezus Chrystus, którego te dary oznaczają; Jego składamy w ofierze i przyjmujemy jako pokarm. Który żyje i króluje na wieki wieków.

(modlitwa nad darami z uroczystości Objawienia Pańskiego)

Pomyśl:

- Dla kogo narodził się Jezus Chrystus?
- Jaka jest twoja postawa wobec ludzi niewierzących?
- Komu mógłbyś pomóc w odnalezieniu drogi do Pana Jezusa?
- Co postanawiasz zrobić, aby stać się prowadzącą do Jezusa „gwiazdą betlejemską" ?
- Jak często modlisz się za ludzi, którzy jeszcze nie znają Jezusa?
- Jak świadczysz w domu, w szkole, na podwórku o tym, że żyjesz dla Niego?
- W jaki sposób podziękujesz Bogu za to, że objawił nam swego Syna?

Boże, Ty w dniu dzisiejszym za przewodem gwiazdy objawiłeś jednorodzonego Syna swojego poganom. Spraw łaskawie, abyśmy poznawszy Cię już przez wiarę, zostali doprowadzeni do oglądania twarzą w twarz blasku Twojego majestatu. Przez naszego Pana, Jezusa Chrystusa, Twojego Syna, który z Tobą żyje i króluje w jedności Ducha Świętego, Bóg przez wszystkie wieki wieków.

(kolekta z uroczystości Objawienia Pańskiego)

Boże, nasz Ojcze, niech Twoje światło towarzyszy nam zawsze i wszędzie, abyśmy czystym wejrzeniem przenikali tajemnicę Eucharystii, w której uczestniczymy, i z miłością Ją przyjmowali. Przez Chrystusa, Pana naszego.

(modlitwa po Komunii z uroczystości Objawienia Pańskiego)

Pieśni:

Mędrcy świata, monarchowie,
gdzie śpiesznie dążycie?
Powiedzcież nam, Trzej Królowie,
chcecie widzieć Dziecię?
Ono w żłobie nie ma tronu
i berła nie dzierży,
a proroctwo Jego zgonu
już się w świecie szerzy.

Mędrcy świata, złość okrutna
Dziecię prześladuje;
wieść okropna, wieść to smutna:
Herod spisek knuje.
Nic monarchów nie odstrasza,
do Betlejem spieszą,
gwiazda Zbawcę im ogłasza,
nadzieją się cieszą.

Przed Maryją stają społem,
niosą Panu dary,
przed Jezusem biją czołem,
składają ofiary.
Trzykroć szczęśliwi królowie,
któż wam nie zazdrości?
cóż my damy, kto nam powie,
pałając z miłości?

* * *

Jezus malusieńki
leży wśród stajenki.
Płacze z zimna, nie dała Mu
Matula sukienki,

bo uboga była,
rąbek z głowy zdjęła,
w który Dziecię owinąwszy,
siankiem Go okryła.

Nie ma kolebeczki
ani poduszeczki,
we żłobie Mu położyła
siana pod główeczki.

Pokłon Magów – Masaccio

Zadanie:

1. Rozmawiaj o Jezusie nie tylko z kolegami, którzy przychodzą na religię, ale również z niewierzącymi.
2. Wyjaśnij w zeszycie, dlaczego na drzwiach naszych domów piszemy K+M+B i cyfrę oznaczającą bieżący rok.

24. Chrzest Pański – namaszczenie do zbawczej misji

Ziemskie życie Jezusa Chrystusa można podzielić na trzy okresy:

– dzieciństwo

– życie ukryte, w którym „Jezus czynił postępy w mądrości, w latach i łasce u Boga i u ludzi" (Łk 2,52)

– działalność publiczną, którą Jezus rozpoczął około trzydziestego roku życia, od chwili namaszczenia Go Duchem Świętym podczas chrztu w Jordanie.

O życiu Pana Jezusa Bóg mówi:

„Oto mój Sługa, którego podtrzymuję. Wybrany mój, w którym mam upodobanie. Sprawiłem, że Duch mój na Nim spoczął; On przyniesie narodom Prawo. Nie będzie wołał ni podnosił głosu, nie da słyszeć krzyku swego na dworze. Nie złamie trzciny nadłamanej, nie zagasi knotka o nikłym płomyku. On niezachwianie przyniesie Prawo.
Nie zniechęci się ani nie załamie, aż utrwali Prawo na ziemi, a Jego pouczenia wyczekują wyspy.
Ja, Pan, powołałem Cię słusznie, ująłem Cię za rękę i ukształtowałem, ustanowiłem Cię przymierzem dla ludzi, światłością dla narodów, abyś otworzył oczy niewidomym, ażebyś z zamknięcia wypuścił jeńców, z więzienia tych, co mieszkają w ciemności".

(Iz 42,1-4. 6-7)

W czasie chrztu Chrystusa, Bóg objawił narodowi wybranemu, że Jezus jest prawdziwym Mesjaszem, Jego umiłowanym Synem.

„Głos z nieba mówił: «Ten jest mój Syn umiłowany, w którym mam upodobanie»".

(Mt 3,17)

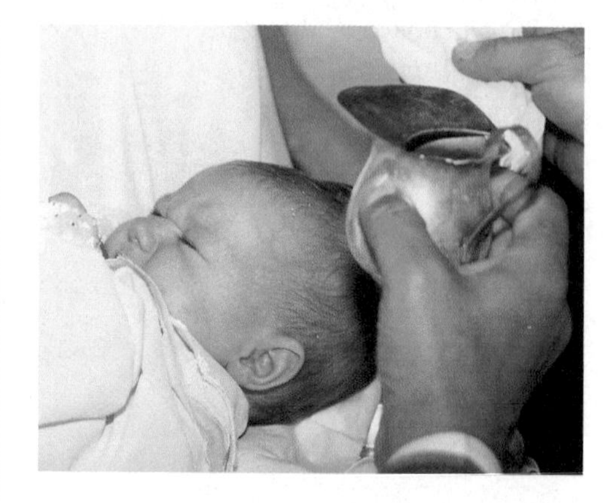

Przez chrzest św. stałeś się dzieckiem Boga, uczniem Jezusa Chrystusa. Duch Święty zamieszkał w tobie i uzdolnił cię do modlitwy oraz do życia według Ewangelii, a także do apostołowania i szerzenia królestwa Bożego na ziemi.

Dziękuj Mu za to modlitwą Kościoła:

Wszechmogący wieczny Boże, po chrzcie w Jordanie uroczyście ogłosiłeś, że Chrystus, na którego zstąpił Duch Święty, jest Twoim umiłowanym Synem, spraw, aby Twoje przybrane dzieci, odrodzone z wody i Ducha Świętego, zawsze żyły w Twojej miłości.

(kolekta ze święta Chrztu Pańskiego)

Pomyśl:

- Kim stałeś się przez chrzest św.?
- Do czego cię to zobowiązuje?
- Jak często dziękujesz Bogu za dar chrztu św.?
- Co konkretnego powinieneś robić, aby w pełni zasłużyć na miano dziecka Bożego?
- Co możesz zrobić, aby prawda o Mesjaszu – Jezusie Chrystusie, została objawiona innym ludziom?

Pieśń:

Pośród wszystkich życia trosk i kłopotów,
gdy pod wiatr trzeba iść każdego dnia,
jedna prawda niech mi świeci jak gwiazda,
że chrześcijanin to właśnie ja.

Więc żyjmy, jak można najpiękniej,
czy wielkie, czy szare są dni,
bo życie to skarb w naszych rękach
i przez nas ma świat lepszy być.

Może kiedy będę dobrym człowiekiem,
który chce lepszym być każdego dnia,
Pana Boga ktoś przeze mnie zobaczy,
bo chrześcijanin to właśnie ja.

Chrzest Chrystusa – Pietro da Cortona

Zadanie:

1. Napisz, co robisz, aby być dla innych światłem na drodze do Boga?
2. Wykonaj plakat do Ewangelii Mt 3,13-17.

25. Ofiarowanie Pańskie – Jezus „światłem na oświecenie pogan"

„Przyjdź do nas, Panie, bo ciemność zapada i blask słoneczny już niknie na niebie. Ty jesteś światłem, co nigdy nie gaśnie, dla Twoich wiernych. Twoja obecność niech dla nas się stanie bezpiecznym portem i pewnym schronieniem, serca napełnij pokojem i ciszą – najlepszy Ojcze".

(Brewiarz, t. IV, s. 973)

Jak światło rozjaśnia mrok, ogrzewa, a czasem wręcz oślepia, tak Jezus jest światłem, które daje człowiekowi możliwość doskonalszego widzenia rzeczy i zjawisk.

Św. Paweł opowiada o swoim spotkaniu z Jezusem:

„W drodze, gdy zbliżałem się do Damaszku, nagle około południa otoczyła mnie wielka jasność z nieba (...) światło z nieba, jaśniejsze od słońca, które ogarnęło mnie i moich towarzyszy podróży".

(Dz 22,6; 26,13)

To „światło przychodzące z nieba" przemieniło życie św. Pawła. Doświadczając miłości Jezusa, zmienił się i rozpoczął nowe życie, poświęcone Bogu i ludziom.

Na to światło czekał także starzec Symeon. On to w dniu ofiarowania Jezusa w świątyni rozpoznał w Nim „światło na oświecenie pogan":

„Moje oczy ujrzały Twoje zbawienie, któreś przygotował wobec wszystkich narodów: światło na oświecenie pogan i chwałę ludu Twego, Izraela".

(Łk 2, 30-32)

W tym znaku światła przychodzi Chrystus także i do nas. Przyjmując Go, stajemy się ludźmi światłości.

Pomyśl:
- Jakim jesteś chrześcijaninem?
- Czy można cię nazwać dzieckiem światłości?
- Jak prowadzisz innych do Chrystusa?
- Co robisz, aby Jezus stał się światłem dla innych ludzi?

Wszechmogący wieczny Boże, Twój jednorodzony Syn, który przyjął nasze ludzkie ciało, został w dniu dzisiejszym przedstawiony w świątyni, pokornie Cię błagamy, spraw, abyśmy mogli stanąć przed Tobą z czystymi sercami. Przez naszego Pana, Jezusa Chrystusa, Twojego Syna, który z Tobą żyje i króluje w jedności Ducha Świętego, Bóg przez wszystkie wieki wieków.

(kolekta)

W święto Ofiarowania Pańskiego przed Mszą św. odbywa się błogosławieństwo świec (zwanych gromnicami), będących symbolem Zbawiciela. Stąd też dzień ten nazywany jest także świętem Matki Bożej Gromnicznej.

Pieśni:

Wy jesteście na ziemi światłem mym,
wy jesteście na ziemi światłem mym,
aby ludzie widzieli dobre czyny w was
i chwalili Ojca, który w niebie jest.

My jesteśmy na ziemi światłem Twym,
my jesteśmy na ziemi światłem Twym,
aby ludzie widzieli dobre czyny w nas
i chwalili Ojca, który w niebie jest.

* * *

Jezu, Tyś jest światłością mej duszy,
niech ciemność ma nie przemawia do mnie już.
Jezu, Tyś jest światłością mej duszy,
daj mi moc przyjąć dziś miłość Twą.

Ofiarowanie Jezusa w świątyni – Beato Angelico

Zadanie:
Ułóż i zapisz w zeszycie modlitwy:
- za tych, którzy nie znają jeszcze Chrystusa jako „światłości świata”
- za tych, którzy głoszą innym naukę o Chrystusie.

26. Chorzy czekają na moją pomoc

Lourdes na południu Francji jest miejscem wyjątkowym, do którego zmierzają liczne pielgrzymki chorych. Ulicami tego miasta nieustannie suną rozmaite wózki, na których siedzą bądź leżą ludzie nie mogący poruszać się o własnych siłach. Przybywają oni z różnych krajów, aby modlić się o uzdrowienie duszy i ciała w grocie skalnej, gdzie 11 lutego 1858 Matka Boża ukazała się czternastoletniej Bernadecie Soubirous. W 1992 roku Ojciec św. Jan Paweł II ogłosił 11 lutego Światowym Dniem Chorego. Obchodzimy go we wszystkich kościołach. Odprawiane są wówczas nabożeństwa dla chorych, ze specjalnym indywidualnym błogosławieństwem, na wzór błogosławieństwa udzielanego w Lourdes. Dzień ten przypomina wszystkim, że chorzy to skarb Kościoła, a naszym obowiązkiem jest troska o nich. Człowiek cierpiący jest szczególnie bliski Chrystusowi, który przez krzyż wysłużył nam niebo. Zjednoczenie z Chrystusem cierpiącym dokonuje się przez sakrament namaszczenia chorych oraz Eucharystię. Cierpiąc w jedności z Jezusem, chorzy mogą niejednokrotnie wyświadczać o wiele więcej dobra niż ludzie zdrowi, którzy nigdy nie mają czasu, bo często gonią za tym, co nie sprzyja ani zdrowiu, ani zbawieniu. Zatrzymując się przy chorych, aby im pomóc, możemy lepiej zrozumieć, co w życiu jest najważniejsze.

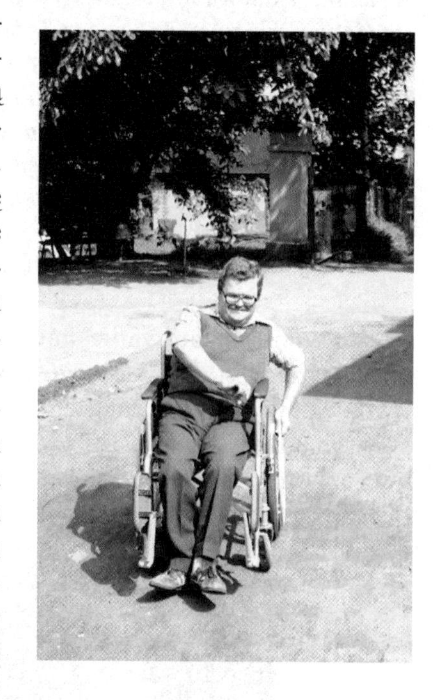

Złożona chorobą, swoje cierpienie ofiarowała Bogu w intencji nawrócenia wnuczka. Mając 20 lat popadł w złe towarzystwo i rozpił się. W bezsenne noce przesuwała paciorki różańca, prosząc Boga o ratunek dla niego. Nikt o tym nie wiedział, tylko Bóg i ona. Trwało to 5 lat, aż wreszcie którejś nocy wszedł do jej pokoju ze łzami w oczach. Padł na kolana przy jej łóżku i rozpłakał się jak dziecko. Drżącym głosem wyrzucił z siebie:
„Ja już dłużej nie mogę tak żyć". Wtedy powiedziała mu o swoim cierpieniu, o bezsennych nocach i o modlitwie... Postanowił nie tknąć już alkoholu. I wytrwał. Ma szczęśliwą rodzinę. Teraz on codziennie modli się za babcię, której już dawno nie ma na tym świecie.

Pomyśl:

- Jak odnosisz się do ludzi chorych i osób w starszym wieku?
- Co możesz zrobić, aby chorzy czuli się mniej samotni i szczęśliwsi?

Pomódl się:

Boże, Ojcze miłosierny, Ty w Chrystusie objawiłeś swoją miłość wobec maluczkich i ubogich, wobec chorych i odrzuconych przez ludzi. Jezus nie zamyka się nigdy na potrzeby i cierpienia braci. On życiem i słowem ogłosił, że Ty jesteś Ojcem i troszczysz się o wszystkie swoje dzieci. Prosimy Cię, otwórz nasze oczy na potrzeby i cierpienia braci. Oświeć nas światłem swego słowa, abyśmy pocieszali utrudzonych i uciśnionych. Spraw, abyśmy z miłością podejmowali posługę wobec ubogich i cierpiących.

(z modlitwy eucharystycznej)

„Jezus nawiązując do tego, rzekł: «Pewien człowiek schodził z Jerozolimy do Jerycha i wpadł w ręce zbójców. Ci nie tylko że go obdarli, lecz jeszcze rany mu zadali i zostawiwszy na pół umarłego, odeszli. Przypadkiem przechodził tą drogą pewien kapłan; zobaczył go i minął. Tak samo lewita, gdy przyszedł na to miejsce i zobaczył go, minął. Pewien zaś Samarytanin, będąc w podróży, przechodził również obok niego. Gdy go zobaczył, wzruszył się głęboko: podszedł do niego i opatrzył mu rany, zalewając je oliwą i winem; potem wsadził go na swoje bydlę, zawiózł do gospody i pielęgnował go. Następnego zaś dnia wyjął dwa denary, dał gospodarzowi i rzekł: Miej o nim staranie, a jeśli co więcej wydasz, ja oddam tobie, gdy będę wracał. Któryż z tych trzech okazał się, według twego zdania, bliźnim tego, który wpadł w ręce zbójców?»
On odpowiedział: «Ten, który mu okazał miłosierdzie». Jezus mu rzekł: «Idź, i ty czyń podobnie»".

(Łk 10,30-37)

Pieśń:

Ja jestem Bogiem, uzdrawiam Cię,
Ja jestem twym lekarzem.
Niech moje słowo uleczy rany twe,
Ja jestem twym lekarzem.

Ty jesteś Bogiem, uzdrawiasz mnie,
Ty jesteś mym lekarzem.
Niech Twoje słowo uleczy rany me,
Ty jesteś mym lekarzem.

Zadanie:

1. Napisz, co możesz zrobić, aby jak najwięcej chorych zgromadziło się w kościele na nabożeństwie z okazji Światowego Dnia Chorych.
2. Napisz list lub kartkę do kogoś chorego.

V
Wielki Post – odkupienie

„Wielka cisza spowiła ziemię;
wielka na niej cisza i pustka.
Cisza wielka, bo Król zasnął,
ziemia się przelękła i zamilkła,
bo Bóg zasnął w ludzkim ciele,
a wzbudził tych, którzy spali od wieków...
Idzie, by odnaleźć pierwszego człowieka,
jak zgubioną owieczkę.
Pragnie nawiedzić tych,
którzy siedzą zupełnie pogrążeni w cieniu śmierci;
by wyzwolić z bólów niewolnika Adama,
a wraz z nim niewolnicę Ewę,
idzie On, który jest ich Bogiem i Synem Ewy...
«Oto Ja, twój Bóg,
który dla ciebie stałem się twoim synem...
Zbudź się, który śpisz!
Nie po to bowiem cię stworzyłem,
byś pozostawał spętany w Otchłani.
Powstań z martwych,
albowiem jestem życiem umarłych»".

(Starożytna homilia na Wielką
i Świętą Sobotę, zob. KKK 635)

27. Potrzeba pokuty i nawrócenia – Środa Popielcowa

Bóg przez proroka Joela wzywa nas do pokuty, zachęcając zarazem, aby to było odnowienie naszego wnętrza, oczyszczenie serc:

„«Nawróćcie się do Mnie całym swym sercem,
przez post i płacz, i lament».
Rozdzierajcie jednak serca wasze, a nie szaty!
Nawróćcie się do Pana, Boga waszego!
On bowiem jest łaskawy, miłosierny, nieskory do gniewu i wielki w łaskawości,
a lituje się na widok niedoli.
Kto wie? Może znów pożałuje
i pozostawi po sobie błogosławieństwo [plonów]
na ofiarę z pokarmów i ofiarę płynną
dla Pana, Boga waszego.
Na Syjonie dmijcie w róg,
zarządźcie święty post,
ogłoście uroczyste zgromadzenie.
Zbierzcie lud,
zwołajcie świętą społeczność,
zgromadźcie starców,
zbierzcie dzieci
i ssących piersi!
Niech wyjdzie oblubieniec ze swojej komnaty
a oblubienica ze swego pokoju!
Między przedsionkiem a ołtarzem niechaj płaczą kapłani, słudzy Pańscy!
Niech mówią:
«Przepuść, Panie, ludowi Twojemu
i nie daj dziedzictwa swego na pohańbienie,
aby poganie nie zapanowali nad nami.
Czemuż mówić mają między narodami:
Gdzież jest ich Bóg?»
I Pan zapalił się zazdrosną miłością ku swojej ziemi,
i zmiłował się nad swoim ludem”.

(Jl 2,12-18)

Post nie może stać się dla nas czasem smutku. Uczeń Chrystusa nie powinien być posępny ani ponury, bo żyje radością i nadzieją zmartwychwstania. Podejmując trud pokuty i przemiany swojego życia, chrześcijanin czyni to nie z lęku przed karą Bożą, ale z miłości do Jezusa i przez wdzięczność za Jego mękę, śmierć i zmartwychwstanie.

Wszelka pokuta czyniona „na pokaz” wynika z ludzkiej przewrotności i jest złem pochodzącym od szatana. Pan Jezus przestrzega przed nią w Ewangelii św. Mateusza:

„Kiedy pościcie, nie bądźcie posępni jak obłudnicy. Przybierają oni wygląd ponury, aby pokazać ludziom, że poszczą. Zaprawdę, powiadam wam: już odebrali swoją nagrodę”.

(Mt 6,16)

Podejmując to wezwanie, w Środę Popielcową przyjmujemy popiół na znak szczerego nawrócenia i prosimy, aby Bóg pomagał nam w nim wytrwać i przygarnął nas do siebie.

Pomyśl:

– Co chciałbyś zmienić w swoim życiu?
– Jakie podejmiesz zobowiązania czy wyrzeczenia na czas Wielkiego Postu?
– Komu powinieneś pomóc w odnalezieniu drogi do Pana Jezusa?

Popielec

Dzień poważny, popielcowy,
żalem niby mgłą osnuty –
kapłan sypie nam na głowy
popiół, jako znak pokuty.
Wypowiada przy tym słowa
upomnienia i przestrogi,
by za grzechy pokutować
i zawrócić ze złej drogi.
Boże, który jesteś w niebie,
spójrz na nasze uniżenie!
Z żalem szczerym prosim Ciebie:
daj nam grzechów odpuszczenie.

(Ks. T. Śmiech, Z uśmiechem w życie, Kielce 1996, s. 57)

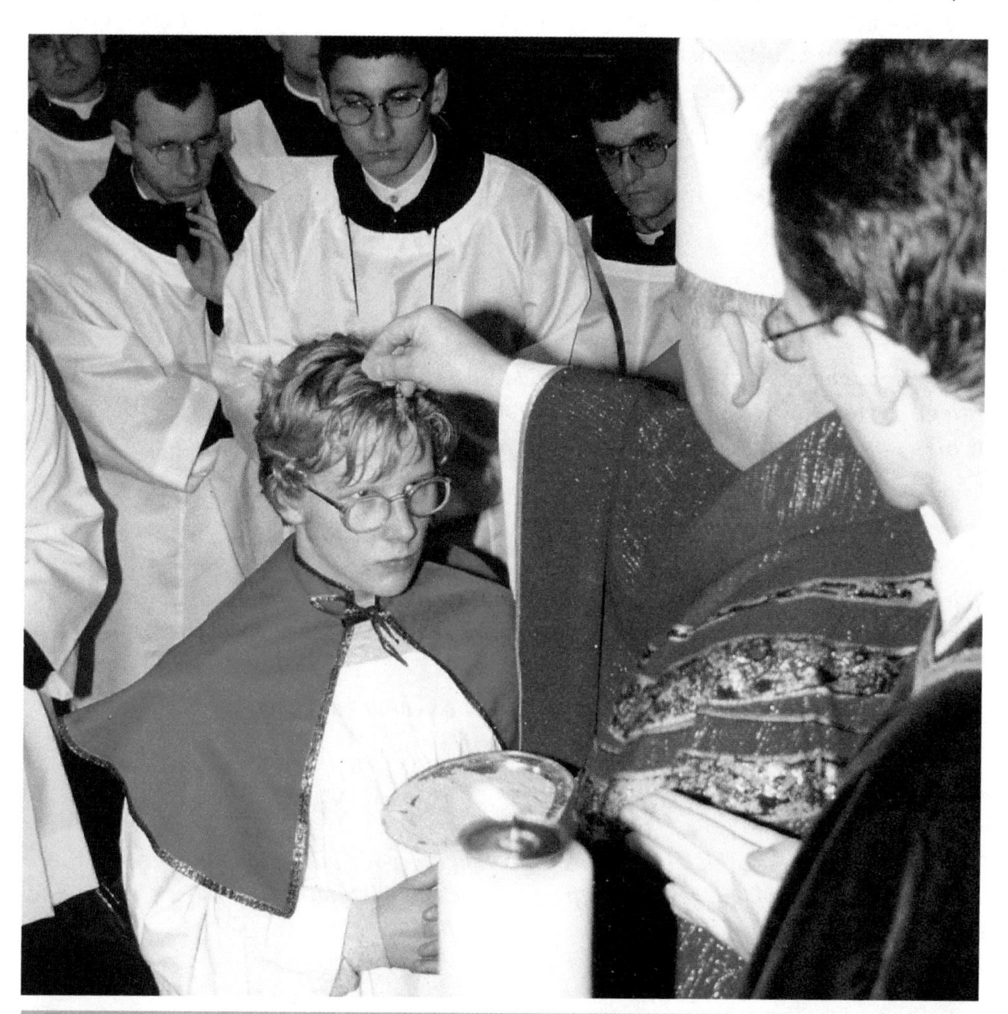

Zadanie:

1. Postaraj się znaleźć w swoim otoczeniu chorego, który nie może pójść do kościoła w Środę Popielcową, wstaw się za nim do Boga na Mszy św. i zanieś mu do domu poświęcony popiół.
2. Pomódl się za ludzi, którzy uparcie trwają w grzechu, aby usłyszeli wzywający do nawrócenia Boży głos.
3. Naucz się na pamięć wiersza „Popielec”.

28. Jezu, idę razem z Tobą – „droga krzyżowa”

W okresie Wielkiego Postu, w każdy piątek (czasem też w inne dni) odprawiane są w naszych kościołach nabożeństwa drogi krzyżowej. Uczestnictwem w tych nabożeństwach wyrażamy naszą wdzięczność Panu Jezusowi za to, że tyle wycierpiał, aby nas zbawić. Z miłości do każdego człowieka przyjął okrutną mękę. Na swej drodze krzyżowej Pan Jezus myślał również o tobie i razem z krzyżem niósł twoje grzechy. Już wtedy byłeś w Jego kochającym sercu.

Postaraj się odwdzięczyć Panu Jezusowi za tę miłość udziałem w „drodze krzyżowej”. Przygotuj z kolegami rozważania do poszczególnych stacji. Niech to będzie wasze pełne wiary i wdzięczności podążanie za Jezusem dźwigającym grzechy całego świata.

Zadanie:

Odpraw „drogę krzyżową” w domu lub w kościele. Możesz skorzystać z poniższych rozważań:

Modlitwa wstępna

Panie Jezu, chcemy dzisiaj przejść drogą, którą Ty szedłeś w ostatnim dniu swego ziemskiego życia. To było prawie przed dwoma tysiącami lat. Chcemy Ci towarzyszyć w niesieniu krzyża i powiedzieć, że Cię kochamy, idąc po Twoich śladach.

„Któryś za nas cierpiał rany”

I. Pan Jezus stoi przed Piłatem

Pan Jezus zostaje niesłusznie oskarżony. Ludzie Go nie chcą, nie uznają w Nim Boga. A przecież wśród nich jest niejeden, który widział Jego cuda, który został cudownie uzdrowiony lub nakarmiony.

Ja nie mogę się zaprzeć Boga. Wierzę w Niego. Kocham Go i wiem, że On mnie kocha.

„Zbawienie przyszło przez krzyż”

II. Pan Jezus bierze krzyż na swoje ramiona

Krzyż to grzechy wszystkich ludzi. Niesie go Ten, który nie miał żadnego grzechu. W ten sposób daje mi przykład, że w życiu trzeba robić nie tylko to, co jest łatwe i przyjemne, lecz i to, co czasem jest bardzo ciężkie, a nawet boli.

„Któryś za nas cierpiał rany”

III. Pan Jezus upada pod ciężarem krzyża

Pan Jezus jest zmęczony, lecz nikt nie chce Mu pomóc. Niektórzy nawet z Niego się śmieją. W moim codziennym życiu nieraz widzę upadających i cierpiących. Obiecuję Ci, Jezu, że nie będę się z nich śmiać i pospieszę im z pomocą, tak jak Ty to robiłeś.

„Matko, która nas znasz”

IV. Pan Jezus spotyka swoją Matkę

Matka cierpi ze swoim Synem.

Panie Jezu, miałeś szczęśliwe dzieciństwo, mając kochającego Ojca i swoją Matkę, Maryję.

Od dziś będę się modlić za tych, którzy nie mają rodziców.

A Ty, dobry Jezu, bądź nam pomocą w ciężkich chwilach życia.

„Któryś za nas cierpiał rany"

V. Szymon z Cyreny pomaga Panu Jezusowi

Szymon Cyrenejczyk, wracając ze swojego pola, zostaje zmuszony do pomocy w niesieniu krzyża. Nie chce tego. Wstydzi się. Nie wie, kim naprawdę jest Jezus.

Ja nie mogę się wstydzić pomagania innym. Nie mogę Ci, Panie Jezu, pomóc osobiście, więc pomogę tym, którzy żyją tuż obok. Wiem, że w ten sposób pomagam Tobie samemu.

„O Jezu, cichy i pokorny, uczyń serce me według serca Twego"

VI. Weronika ociera twarz Panu Jezusowi

Ta kobieta jest bardzo odważna. Gdy Panu Jezusowi było najbardziej ciężko, podbiegła i otarła z potu, kurzu i krwi Jego udręczoną twarz.

Naśladuję szlachetny czyn Weroniki, gdy nie boję się pomagać odrzuconym przez innych i słabszym. Tak okazuję pomoc Bogu skazanemu na śmierć.

„Któryś za nas cierpiał rany"

VII. Pan Jezus upada po raz drugi

Niesienie krzyża jest męką.

Ja też niosę swój codzienny krzyż: nieraz się potykam, popadając w zniechęcenie. Lecz tak samo jak Pan Jezus muszę się podnosić, żeby iść dalej. Muszę sumiennie wypełniać obowiązki w szkole i w domu.

„Jezu, mój Jezu, dziś do Ciebie mówić chcę"

VIII. Pan Jezus pociesza płaczące niewiasty

Wszystko Jezusa bolało. Ale nawet w tej chwili nie myślał o sobie, lecz o innych.

Gdy tylko pomyślisz, że ktoś cierpi bardziej niż ty, stanie się cud – to, co cię do tej pory dręczyło, wyda się mniej ważne.

„Któryś za nas cierpiał rany"

IX. Pan Jezus po raz trzeci upada pod ciężarem krzyża

On musi nas bardzo kochać, skoro zgodził się wziąć na siebie wszystkie nasze grzechy. Nikt Go w tym nie wyręczył, upada więc pod krzyżem na nowo.

Dziękuję Ci, Jezu, za to, że nas kochasz. Ostatek sił poświęcasz za mnie. Naucz nas takiej samej miłości do Ciebie i do bliźnich.

„Pewnej nocy łzy z oczu mych"

X. Pan Jezus z szat obnażony

Zdarli z Jezusa szaty utkane przez Jego Matkę. Tak odebrano Mu godność. Tak dotkliwie cierpi Pan Jezus za moje nieskromne myśli, słowa i czyny. Za to wszystko najgoręcej przepraszam Cię, Jezu.

„Golgota"

XI. Pan Jezus przybity do krzyża

Źli ludzie oddają Jezusa w ręce katów. Ma być przybity do krzyża, bo należy Go traktować jak przestępcę, wroga. Pan Jezus cierpi, ale chętnie podaje katom swe święte ręce, te same, którymi uzdrawiał i dzielił chleb.
Obiecuję Ci, Jezu, że i moje ręce będą niosły ludziom dobro, nawet gdyby to miało mnie dużo kosztować.

„Rozpięty na ramionach"

XII. Pan Jezus umiera na krzyżu

Pan Jezus składa swoje święte życie za mnie, za moich rodziców, przyjaciół i bliskich. Wisząc na krzyżu, oddaje nam nawet swoją Matkę.
Nie chcę zmarnować daru zbawienia, który mi wysłużyłeś, Panie, przez Twój krzyż. Będę Ci zawsze wierny. Pomoże mi w tym Maryja, najlepsza ze wszystkich matek.

„Któryś za nas cierpiał rany"

XIII. Pan Jezus zdjęty z krzyża

W tych tragicznych chwilach większość uczniów opuściła Jezusa. Zostali tylko nieliczni: Matka, św. Jan i kilka kobiet z Nazaretu. Z wielką czcią zdjęli Jego ciało z krzyża, wierząc, że nawet po śmierci nie przestaje być Bogiem.
Panie, przymnóż mi wiary, abym nigdy w Ciebie nie zwątpił.

„Ta krew z grzechu obmywa nas"

XIV. Pan Jezus złożony w grobie

Grób opieczętowano, stawiając przy nim straż. Wrogowie byli pewni, że wszystko skończone. Lecz to był dopiero początek: ani ciężki kamień, ani strażnicy nie mogli przeszkodzić zmartwychwstaniu Pana Jezusa. Zmartwychwstając udowodnił, że naprawdę jest Synem Bożym. Gdy powróci na ziemię, jak zapowiedział, spotka Go każdy z nas.

„Któryś za nas cierpiał rany"

Modlitwa na zakończenie

Panie Jezu, dziękuję Ci, że pozwoliłeś nam towarzyszyć sobie na Twojej drodze krzyżowej. Proszę Cię, bądź ze mną na drogach mojego życia. Tylko z Tobą mogę kochać moich bliźnich, tak jak Ty kochasz każdego człowieka. Bądź moim Panem, Mistrzem i Przewodnikiem.

„Jezus daje nam zbawienie"

(opr. według: Materiały na pogodne wieczory, Inspektoralny Ośrodek Animacji W.D.M., Kraków 1993)

Zadanie:

1. Zaproś swoich rodziców i rodzeństwo do wspólnego udziału w nabożeństwie drogi krzyżowej.

29. Chrystus uczy nas walczyć z pokusami

Szatan jest podstępny. Bardzo często wyzwala w nas zaufanie do złych ludzi lub nęci pozornym dobrem, które w rezultacie jest dla człowieka zgubą.

Każdy z nas wielokrotnie już ulegał pokusom szatana. Jeśli jednak dobrze wsłuchasz się w słowo Boże z Ewangelii według św. Mateusza (4,1-11), to ożyje w tobie nadzieja, że skoro Pan Jezus go pokonał, to nigdy nie pozwoli, żebyś został przez niego zniewolony. Trzeba tylko, abyś szedł za głosem Jezusa, modląc się i ufając Bogu, który mimo twojej grzeszności stale cię kocha.

Św. Paweł w Liście do Tesaloniczan pisze:

> „Wierny jest Pan, który umocni was i ustrzeże od złego”.
>
> (2 Tes 3,3)

Abyś umiał pokonać pokusy, zwróć się do Pana Jezusa o pomoc słowami modlitwy: „Pomóż mi wybrać dobro, Panie!"

Kiedy przyjdzie pokusa nieuczciwości, kłamstwa, ściągania na klasówce:
– pomóż mi wybrać dobro, Panie!

Kiedy przychodzi chęć plotkowania, obmowy kolegów, koleżanek czy dorosłych:
– pomóż mi wybrać dobro, Panie!

Gdy przyjdzie myśl o kradzieży czy o niszczeniu cudzego mienia:
– pomóż mi wybrać dobro, Panie!

Kiedy pojawi się chęć nieuzasadnionego opuszczenia modlitwy czy Mszy św.:
– pomóż mi wybrać dobro, Panie!

Kiedy świadomie będę działać na szkodę własnego zdrowia:
– pomóż mi wybrać dobro, Panie!

W jednym z indiańskich plemion istniał zwyczaj, wedle którego młodych chłopców uznawano za ludzi dorosłych wówczas, gdy spędzili pewien czas w całkowitej samotności. Przez ten okres musieli udowodnić sobie samym, że są już wojownikami. W czasie takiej próby jeden z młodych ludzi zawędrował do pięknej doliny, w której zieleniły się drzewa i kwitły wspaniałe kwiaty. Spoglądając na góry otaczające dolinę, zauważył szczyt pokryty olśniewająco białym śniegiem. «Poddam się próbie, zmierzając się z tą górą». Włożył koszulę ze skóry bizona, na ramiona zarzucił koc i rozpoczął wspinaczkę. Nagle usłyszał szmer, spojrzał w tym kierunku i zobaczył węża. Zanim zdołał uczynić jakikolwiek ruch, wąż przemówił:
– Umieram. Tutaj jest mi za zimno i nie mam nic do jedzenia. Schowaj mnie pod swoją koszulę i znieś w dolinę.
– Nie – odparł młodzieniec – znam takich jak ty. Jesteś grzechotnikiem. Jeśli cię podniosę, ukąsisz mnie śmiertelnie.
– Na pewno nie. Jeśli mnie uratujesz, nie wyrządzę ci żadnej krzywdy.
Młody człowiek nadal odmawiał, lecz wąż miał wielką siłę przekonywania. Wreszcie młodzieniec włożył go pod koszulę i zabrał ze sobą. Kiedy zeszli do doliny, wyjął go i ostrożnie ułożył na ziemi. Nagle wąż zwinął się, wysunął do przodu i ukąsił chłopca w nogę.
– Przecież mi obiecałeś... – zawołał młody człowiek.
– Wiedziałeś, co ryzykujesz, biorąc mnie ze sobą – odparł wąż, odpełzając w dal.

(Wiedziałeś o tym, w: B. Ferrero, Ważna róża, Warszawa 1995, s. 50)

Pieśni:

Jezus zwyciężył – to wykonało się.
Szatan pokonany, Jezus złamał
śmierci moc.
Jezus jest Panem, o alleluja,
po wszystkie czasy Królem królów jest.

Jezus jest Panem,
tylko Jezus jest Panem,
Jezus jest Panem,
On jest Panem ziemi tej.

* * *

Nie bój się, nie lękaj się,
Bóg sam wystarczy.

Zadanie:
1. Opisz sytuację ze swojego życia, w której odrzuciłeś zło, a wybrałeś dobro.
2. Pomyśl, którym grzechem najczęściej ranisz Boga i bliźniego.
3. Proś Pana Jezusa, aby pomógł ci walczyć z pokusami.

30. Bóg czeka na nas w sakramencie pokuty i pojednania

Z ciężką duszą na ramieniu
W kolejce za drewnianym kluczem
Z pokorą w sercu
Pochyloną głową – jakby zapomniał i trzeba go ocucić
Tyle że słoną wodą

Serce jakby spadło
Całe się potłukło
Jakby tylko żarem posklejać się dało

Za drewnianą kratą ciche słowa
powoli szeptane
Kilka diamentów w oku
myśli poplątane
jakby słońce powoli wynurzało się z mroku
przez te słowa poszarpane

znowu tęcza po burzy
słońce po słonym deszczu
znowu czyste serce
spłukane żalem szczerym
którego wstydzić się nie wolno wcale.

(Paweł Nosek)

Jest to wiersz gimnazjalisty. Wydaje się, że ten kilkunastoletni autor doskonale zrozumiał, czym jest sakrament pokuty, co daje i ku czemu prowadzi. Piękne porównania wskazują na to, co dzieje się w sercu człowieka, kiedy doświadcza oczyszczenia z grzechów i na nowo staje się synem światłości.

Sakrament ten jest cudownym momentem doświadczania oczyszczającej i uzdrawiającej miłości Boga. Nie możemy go unikać nawet wtedy, gdy nasze grzechy są bardzo ciężkie i nie mamy odwagi przyznać się do nich. Chrystus oczekuje od nas zaufania i wiary w to, że nam przebaczy i okaże swoje miłosierdzie.

„Każdy, kto uwierzy, jest przez Niego usprawiedliwiony ze wszystkich [grzechów], z których nie mogliście zostać usprawiedliwieni w Prawie Mojżeszowym”.

(Dz 13,39)

Chrystus cię kocha, zależy Mu na twoim szczęściu i chce, żebyś Mu zaufał.

„W miłości nie ma lęku, lecz doskonała miłość usuwa lęk, ponieważ lęk kojarzy się z karą. Ten zaś, kto się lęka, nie wydoskonalił się w miłości".

(1 J 4,18)

Zanim przystąpisz do spowiedzi, wzbudź w sobie szczery żal, bo zasmuciłeś Boga swoimi grzechami. Niech to będzie żal doskonały, z miłości do Boga, nie z lęku przed karą. Pomódl się w intencji swojego spowiednika, który przyjmie twoje wyznanie grzechów i mocą Chrystusa udzieli ci rozgrzeszenia.

PRZYGOTOWANIE DO SPOWIEDZI
rachunek sumienia

AKTY PENITENTA
żal za grzechy
wyznanie grzechów
zadośćuczynienie

AKTY SPOWIEDNIKA
przyjęcie wyznania grzechów
zachęta do zmiany życia
rozgrzeszenie

Pomyśl:

- Dlaczego przystępujesz do sakramentu pokuty i pojednania? – Ze strachu przed karą Bożą czy z miłości do Boga, którego obraziłeś?
- Kiedy ostatni raz przystępowałeś do sakramentu pokuty i pojednania?
- Czy nie zataiłeś jakiegoś grzechu?
- Jakie podejmiesz postanowienie?

Pieśń:

Pustą, samotną drogą
z sercem ciężkim od win
i ze spuszczoną głową
szedł marnotrawny syn.

Wróć, synu, wróć z daleka,
wróć, synu, wróć, Ojciec czeka.

I wychodzi na drogę, i wygląda stęskniony,
czy nie wracasz do domu.
Tyle razy odchodzisz i powracasz skruszony,
a On zawsze dla ciebie ma
otwarte ramiona.

Roztrwoniłeś swą miłość,
z pustym sercem powracasz,
a On tobie przebacza.
I wychodzi naprzeciw Ojca serce zbolałe:
„Wreszcie, synu, wróciłeś –
tak czekałem..."

Wróć, synu, wróć z daleka,
wróć, synu, wróć, Ojciec czeka.
Wróć, jeszcze czas, nie zwlekaj.
Jak długo jeszcze każesz czekać?

Zadanie:
1. Pamiętaj, by podczas rekolekcji wielkopostnych przystąpić do sakramentu pokuty i pojednania.
2. Wykonaj plakat, inspirując się opowiadaniem z dzisiejszej katechezy.

31. Jezus umacnia naszą wiarę – Przemienienie Pańskie

Przemienienie – Giovanni Bellini

„Jezus wziął z sobą Piotra, Jana i Jakuba i wyszedł na górę, aby się modlić. Gdy się modlił, wygląd Jego twarzy się odmienił, a Jego odzienie stało się lśniąco białe. A oto dwóch mężów rozmawiało z Nim. Byli to Mojżesz i Eliasz. Ukazali się oni w chwale i mówili o Jego odejściu, którego miał dokonać w Jerozolimie. Tymczasem Piotr i towarzysze snem byli zmorzeni. Gdy się ocknęli, ujrzeli Jego chwałę i obydwóch mężów, stojących przy Nim. Gdy oni odchodzili od Niego, Piotr rzekł do Jezusa: «Mistrzu, dobrze, że tu jesteśmy. Postawimy trzy namioty: jeden dla Ciebie, jeden dla Mojżesza i jeden dla Eliasza». Nie wiedział bowiem, co mówi. Gdy jeszcze to mówił, zjawił się obłok i osłonił ich; zlękli się, gdy [tamci] weszli w obłok. A z obłoku odezwał się głos: «To jest Syn mój, Wybrany, Jego słuchajcie». W chwili, gdy odezwał się ten głos, Jezus znalazł się sam. A oni zachowali milczenie i w owym czasie nikomu nic nie oznajmiali o tym, co widzieli".

(Łk 9,28-36)

Czterdzieści dni przed uroczystością Podwyższenia Krzyża Świętego obchodzimy Przemienienie Pańskie. Obłok okrywający Jezusa i głos Ojca: „To jest Syn mój, Wybrany, Jego słuchajcie", przypominają przebieg chrztu Pańskiego w Jordanie. Obecność proroków Eliasza i Mojżesza oraz treść ich rozmowy z Jezusem dowodzą, że jest On Mesjaszem, Synem Bożym.

Pan Jezus nie był wtedy sam: „wziął ze sobą Piotra, Jana i Jakuba". Nie sprawił tego przypadek. Obecność uczniów podczas przemienienia miała umocnić ich wiarę w Boże synostwo Jezusa. Zachwycony tym św. Piotr powiedział: „Mistrzu, dobrze, że tu jesteśmy".

W ten sposób Pan Jezus chciał przygotować uczniów na swoją śmierć krzyżową, aby nie ulegli, jak reszta Żydów, zgorszeniu krzyża, ale by zobaczyli w nim zapowiedź Jego zmartwychwstania i chwały. Polecenie Boga, zawarte w słowach „Jego słuchajcie", skierowane jest do wszystkich ludzi, którzy pragną się spotkać z Chrystusem w niebie.

Podczas Mszy świętej w dniu Przemienienia kapłan modli się słowami kolekty:

Boże, Ty przy chwalebnym przemienieniu Twojego jedynego Syna potwierdziłeś tajemnicę wiary świadectwem Ojców i ukazałeś chwałę, jaka czeka Twoje przybrane dzieci. Spraw, abyśmy posłuszni głosowi Twojego umiłowanego Syna, stali się Jego współdziedzicami.

Przemienienie daje nam przedsmak przyjścia Chrystusa w chwale, kiedy to „przekształci nasze ciało poniżone, na podobne do swego chwalebnego ciała” (Flp 3,21).

Wydarzenie z góry Tabor powtarza się podczas każdej Mszy św. Góra Tabor staje się realna, gdy słuchasz słowa Bożego. Tabor wzywa cię do przemiany. Wzywa cię do podjęcia trudu wędrówki z Jezusem.

Wielki Post jest doskonałym czasem umocnienia twojej wiary i przemiany życia. Dokona się to jednak wówczas, gdy zaufasz Jezusowi w tej wspinaczce ku świętości. Doświadczysz wtedy tego, co przeżyli apostołowie. Będzie ci dobrze z Mistrzem. Nie będziesz chciał schodzić z góry. Tak więc opłaca się włożyć trochę wysiłku, by przeżyć cud takiego spotkania.

Pomyśl:

– Kim jest dla ciebie Pan Jezus?
– Co Bóg zawarł w słowach: „Jego słuchajcie”?
– Jak realizujesz to polecenie na co dzień: w domu, w szkole, podczas zabawy?
– Co musisz zmienić w swoim zachowaniu, aby stać się podobnym do Pana Jezusa?

Kościół przedstawia Bogu Ojcu swoje prośby, zamykając je formułą:

Przez naszego Pana, Jezusa Chrystusa, Twojego Syna, który z Tobą żyje i króluje w jedności Ducha Świętego, Bóg przez wszystkie wieki wieków.

Pieśń:

Niech wszyscy wielbią imię Twe,
bo Tyś jest Tym, którego czeka świat.
Ty przyjdziesz z mocą w tamten dzień,
gdy będzie tylko miłość, zniknie strach.
O Jezu Chryste, Panie,
Tyś Synem Boga mego jest.

O Jezu Chryste, Panie,
Tyś Synem Boga niebios jest.

O Jezu Chryste, Panie,
Tyś jest Mesjasz, Tyś mój Bóg.

O Jezu Chryste, Panie,
Tyś jest Mesjasz, Tyś mój Król.

Zadanie:
1. Ułóż modlitwę błagalną o Bożą pomoc w pokonywaniu słabości.
2. Wykonaj ilustrację do tematu dzisiejszej katechezy.

32. Moje rekolekcje wielkopostne

Syn marnotrawny – Massari

W niedzielny poranek 7 czerwca 1925 w stolicy Irlandii, Dublinie, wśród ludzi idących do kościoła był staruszek podpierający się laską. Zatrzymał się na schodach do katedry, by wziąć kilka głębszych oddechów. Nagle wyciągnął rękę, szukając dodatkowego oparcia, i upadł. Otoczyła go grupa ludzi. Wezwano pogotowie. Niestety, staruszek umarł.

Ludzie próbujący go ratować zauważyli pod jego koszulą ostre opaski z drutu, wpijające się w ciało. Wszyscy chcieli wiedzieć, kim był ten człowiek i czemu nosił na sobie coś takiego.

Nazajutrz cały Dublin mógł dowiedzieć się o śmierci i poznać niezwykłe życie Mateusza Talbota – pisały o nim wszystkie gazety.

Mateusz Talbot, podobnie jak syn marnotrawny, roztrwonił w alkoholu wszystko, co posiadał. Osiągnął dno ludzkiego poniżenia. Ale zastanowił się nad swoim życiem. Na szczęście wiedział, do kogo się zwrócić o pomoc. Przekonawszy się, że nie bardzo może liczyć na własne siły, całe swoje życie powierzył Jezusowi i bezgranicznie Mu zaufał. Modlitwa i pokuta stały się drogą jego nawrócenia. Podejmując dzień w dzień niezwykły wysiłek, do końca życia pozostał na tej drodze. Odzyskał dobre imię i poważanie wśród ludzi. Cieszył się obfitością łaski Boga.

Dziś wielu alkoholików i ludzi uwikłanych w rozmaite nałogi widzi w nim swojego patrona i prosi go o wstawiennictwo. Jeśli chcesz, aby twoje życie miało większą wartość w oczach Boga i ludzi, powinieneś dokładnie mu się przyglądać i stawiać sobie pytania:

– Jakie jest moje życie?

– Czym najczęściej zasmucam moich bliskich i Boga?

– Co powinienem zrobić, aby bardziej podobać się Bogu?

Doskonałą okazją do takich pytań i poszukiwania na nie odpowiedzi są rekolekcje wielkopostne.

Staraj się je przeżyć jak najlepiej. Nie planuj na ten czas innych zajęć, które mogłyby cię rozpraszać i odciągać od poznawania prawdy o sobie i dążenia do przyjaźni z Bogiem.

„Ty zaś, gdy chcesz się modlić, wejdź do swej izdebki, zamknij drzwi i módl się do Ojca twego, który jest w ukryciu. A Ojciec twój, który widzi w ukryciu, odda tobie”.

(Mt 6,6)

Czas Pana

Rekolekcje, czas człowieka
czas pustyni i Bożego tchnienia
To czas poszukiwania.
Czas patrzenia i milczenia,
patrzenia w głąb i przed siebie.
To czas słowa,
siewu i uprawy roli.
Czas Magdaleny,
żalu, pokornego stania,
czas prawdy o sobie, oskarżania.
To czas zmartwychwstania,
odwalonego kamienia grobu,
oderwanej deski trumny,
czas wyzwolenia,
czas Pana.

(Ks. Tadeusz Śmiech, W gliniany dzban mego życia..., Kielce 1995, s. 78)

Pomyśl:

- Jak przygotowujesz się do owocnego przeżycia rekolekcji?
- Co zrobisz, by pomóc w tym swoim kolegom?
- Czy chętnie włączysz się w śpiew, czytanie słowa Bożego, modlitwę wiernych itp.?

Zadanie:
1. Pomódl się o dobre i owocne przeżycie rekolekcji.
2. Naucz się na pamięć wiersza „Czas Pana”.
3. Wykonaj plakat zapraszający na rekolekcje.

33. Liturgia Niedzieli Palmowej

Przybywając do Jerozolimy, Pan Jezus został przyjęty jak król. Żydzi witali Go zielonymi gałązkami, ścieląc Mu pod nogi swe płaszcze i wołając: „Hosanna, Święty, Błogosławiony!” Nie wiedzieli wówczas, w czym ma się objawić potęga i moc Jezusa Nazarejczyka.

Nie wiedzieli, że nie na tronie, lecz na krzyżu dokona się największe z Jego dzieł – odkupienie naszych grzechów i pojednanie nas z Ojcem.

Pamiątkę uroczystego wjazdu Chrystusa do Jerozolimy obchodzimy w szóstą niedzielę Wielkiego Postu, czyli Niedzielę Palmową, rozpoczynającą Wielki Tydzień. Czerwony kolor szat liturgicznych tego dnia wskazuje na królewską godność Chrystusa i Jego męczeńską śmierć.

Liturgia rozpoczyna się poświęceniem gałązek wierzbowych, palmowych lub oliwnych, z którymi chrześcijanie w procesji na cześć Chrystusa-Mesjasza wchodzą do kościoła, by słuchać opisu męki Pańskiej.

Jeżeli kochasz Chrystusa i pragniesz publicznie złożyć Mu hołd, weź udział we Mszy św. i procesji, prosząc Go o głębokie przeżycie Wielkiego Tygodnia.

Pomyśl:

- Jak przygotujesz się do przeżycia Niedzieli Palmowej?
- Co powinieneś zrobić, aby nie tylko usta, ale i całe twoje ciało włączyło się w radosną pieśń: „Hosanna! Błogosławiony, który idzie w imię Pańskie”?

Pomódl się:

Wszechmogący Boże, z palmami w rękach czcimy dzisiaj zwycięstwo Chrystusa. Pomnóż naszą wiarę i wysłuchaj nasze prośby, abyśmy zjednoczeni z Chrystusem przynosili Tobie owoce dobrych uczynków. Przez Chrystusa, Pana naszego.

„Hosanna! Błogosławiony Ten, który przychodzi w imię Pańskie”.

(Mk 11,9b)

Wszechmogący wieczny Boże, aby dać ludziom przykład pokory do naśladowania, sprawiłeś, że nasz Zbawiciel przyjął ciało i poniósł śmierć na krzyżu; daj nam pojąć naukę płynącą z Jego męki i zasłużyć na udział w Jego zmartwychwstaniu. Przez Chrystusa, Pana naszego.

(kolekta z Niedzieli Palmowej)

Pieśń:

Hosanna, hosanna, hosanna na niebiosach!
Hosanna, hosanna, hosanna na niebiosach!
Sławić chcemy Cię wciąż
z radością i czcią:
Wywyższony bądź, Boże nasz!
Hosanna niechaj ciągle brzmi!

Chwała, chwała, Królowi królów chwała, cześć!
Chwała, chwała, Królowi królów chwała, cześć!
Sławić chcemy Cię wciąż
z radością i czcią:
Wywyższony bądź, Boże nasz!
Królowi królów chwała, cześć!

Jezus, Jezus, Jezus Królem królów jest!
Jezus, Jezus, Jezus Królem królów jest!
Sławić chcemy Cię wciąż
z radością i czcią:
Wywyższony bądź, Boże nasz!
Jezus Królem królów jest!

Niedzielę Palmową nazywa się też Niedzielą Męki Pańskiej, bo w tym dniu w sposób uroczysty, często z podziałem na role, czytana jest lub śpiewana w kościołach Ewangelia o męce Jezusa.

Wjazd Jezusa do Jerozolimy – Beato Angelico

Zadanie:

1. Zachęć swoich kolegów i koleżanki, aby przygotowali palmy i wzięli udział we Mszy św. i procesji w Niedzielę Palmową.
2. Przeczytaj Ewangelię z bieżącego roku (A – Mt 26,14-27,66; B – Mk 14,1-15,47; C – Łk 22,14-23,56) i wpisz do zeszytu słowa, które uznasz za najważniejsze.

34. Liturgia Wielkiego Czwartku

Pan Jezus często spotykał się z apostołami na wspólnych posiłkach. Jednak wieczerza, którą spożył w Wielki Czwartek, miała w sobie coś wyjątkowego. Jezus, łamiąc chleb i odmawiając stosowne modlitwy, wypowiedział słowa, których treść apostołowie zrozumieli dopiero potem, w Wielki Piątek i w Niedzielę Zmartwychwstania.

„Gdy oni jedli, Jezus wziął chleb i odmówiwszy błogosławieństwo, połamał i dał uczniom, mówiąc: «Bierzcie i jedzcie, to jest Ciało moje». Następnie wziął kielich i odmówiwszy dziękczynienie, dał im, mówiąc: «Pijcie z niego wszyscy, bo to jest moja Krew Przymierza, która za wielu będzie wylana na odpuszczenie grzechów".

(Mt 26,26-28)

W wieczerniku Pan Jezus zapowiedział ofiarę krzyżową, która gładzi grzechy świata i jednoczy ludzi z Bogiem. A dziś podczas każdej Mszy św. mówi do nas: „Jestem żywy i obecny w chlebie eucharystycznym. Bierz Mnie i spożywaj, kiedy tylko zapragniesz. Chcę być z tobą jedno. Ja jestem chlebem żywym, jedynym pokarmem, który umocni cię na życie wieczne".

Św. Ambroży napisał:

„Jeśli pokarmu szukasz – On chlebem".

Kościół bardzo uroczyście obchodzi pamiątkę Wielkiego Czwartku. Jego liturgia kieruje naszą uwagę ku Eucharystii, do tamtego wieczoru, kiedy Jezus złożył samego siebie pod postacią chleba i wina i powierzył się apostołom oraz ich następcom w słowach:

„To czyńcie na moją pamiątkę".

Liturgia wielkoczwartkowa składa się z następujących części:

1. W godzinach rannych gromadzą się w katedrze, wokół swojego biskupa, kapłani diecezji i wspólnie podczas Mszy św. ponawiają przyrzeczenia złożone w dniu święceń. Czynią to na pamiątkę ustanowienia przez Pana Jezusa w Wielki Czwartek sakramentu kapłaństwa. Następnie zostają poświęcone oleje św., wykorzystywane przy udzielaniu sakramentów: chrztu, bierzmowania, namaszczenia chorych i kapłaństwa. Dla nas jest to dzień wdzięczności Bogu za księży.

– Panie Jezu, dziękujemy Ci za Twoich kapłanów.

2. Podczas wieczornej Mszy św. w katedrze i w niektórych kościołach parafialnych biskup lub proboszcz dokonuje wzruszającego obrzędu umycia nóg dwunastu wybranym osobom, na wzór Jezusa Chrystusa umywającego nogi apostołów.

– Panie Jezu, dziękujemy Ci za Twój przykład miłości.

3. Po odśpiewaniu radosnego hymnu „Chwała na wysokości Bogu" milkną dzwony, a po Mszy św. kapłan przenosi Najświętszy Sakrament do kaplicy wystawie-

nia, zwanej ciemnicą na pamiątkę pojmania i przesłuchań Jezusa.

– Dziękujemy Ci, Panie, za Twoje cierpienie i Twoją samotność.

4. Rozpoczyna się nocna adoracja Najświętszego Sakramentu, która przypomina modlitwę Jezusa w Ogrodzie Oliwnym i Jego wezwanie skierowane do apostołów: „Czuwajcie i módlcie się”.

– Panie Jezu, naucz nas godzić naszą wolę z wolą Ojca w niebie.

5. Ołtarz zostaje obnażony, wynosi się krzyże z kościoła, a te, które pozostają, należy zasłonić.

– Pozwól mi, Panie, czuwać razem z Tobą.

Ostatnia Wieczerza – Daniele Crespi

Pomyśl:

- Jak przeżywasz Mszę św.?
- Jak często przystępujesz do Komunii św.?

Zapamiętaj:

Wielki Czwartek to także dzień kapłański. Postaraj się sprawić księdzu radość i pomódl się za wszystkich kapłanów.

Pieśń:

Pan wieczernik przygotował, swój zaprasza lud.
Dla nas wszystkich dom otworzył
i zastawił stół.

Przyjdźcie z ulic i opłotków, bowiem mija czas,
przyjdźcie, chorzy i ubodzy, Pan uzdrowi was.

Każdy człowiek w domu Pańskim swoje miejsce ma,
niech nikogo w nim nie braknie, uczta Pańska trwa.

Zakosztujcie i poznajcie tej wieczerzy smak,
z obfitości boskich darów bierzcie pełnię łask.

Triduum Paschalne to trzy święte dni, rozpoczynające się wieczorem w Wielki Czwartek. Trwają one aż do Niedzieli Zmartwychwstania, a wspominamy w nich mękę, śmierć i zmartwychwstanie Pańskie – fakty o podstawowym znaczeniu dla nas i dla naszego zbawienia.

Zadanie:

1. Postaraj się w Wielki Czwartek uczestniczyć we Mszy św. i pozostać w kościele na chwilę adoracji.
2. Napisz, co daje ci Pan Jezus przyjmowany w Chlebie eucharystycznym.

35. Liturgia Wielkiego Piątku

Stara legenda mówi o ludziach, którzy nieśli ze sobą krzyże. Jednemu z pielgrzymów wydawało się, że jego krzyż jest za długi, więc nie myśląc wiele, obciął z niego kawałek.

Po długiej wędrówce wszyscy zatrzymali się nad przepaścią. Ta przepaść oddzielała ich od widocznej na przeciwległym krańcu ziemi obiecanej. Niestety, nie prowadził tam żaden most. Trzeba więc było zrobić użytek ze swoich krzyży. Wszystkie pasowały na długość, i stały się kładką. Tylko ten obcięty okazał się za krótki. Jego właściciel stał teraz w bezradności i smutku.

Smutek i bezradność ogarnia tych, którzy stoją nad przepaścią swojego życia, nie wiedząc, gdzie szukać ratunku. Zapomnieli o krzyżu, który otworzył im drogę do nieba. A przecież „nie ma innego mostu do nieba jak krzyż” – pisze Abraham a Santa Clara.

Krzyż dla Żydów był znakiem hańby, dla Rzymian symbolem głupoty, dla chrześcijan jest mądrością i mocą Bożą. Na nim Chrystus pokonał śmierć i wysłużył nam zbawienie.

Dlatego też w Wielki Piątek w ciszy i skupieniu stajemy pod krzyżem Jezusa, dziękując Mu za mękę i śmierć, które przyjął z miłości do każdego z nas, aby nas wyzwolić z niewoli Złego i grzechu oraz otworzyć drogę do nieba.

„Gdzież podział się Krzyż? Stał się nam bramą”.
(Cyprian Kamil Norwid)

Pomyśl:

- Czym jest krzyż dla ciebie?
- Czy jest w twoim pokoju?
- Jak często pomagałeś Jezusowi „nieść krzyż”?
- Ile razy byłeś na nabożeństwie drogi krzyżowej?
- Co powiesz Panu Jezusowi podczas adoracji krzyża?

„To dążenie niech was ożywia; ono też było w Chrystusie Jezusie. On, istniejąc w postaci Bożej, nie skorzystał ze sposobności, aby na równi być z Bogiem, lecz ogołocił samego siebie, przyjąwszy postać sługi, stawszy się podobnym do ludzi. A w zewnętrznym przejawie, uznany za człowieka, uniżył samego siebie, stawszy się posłusznym aż do śmierci – i to śmierci krzyżowej. Dlatego też Bóg Go nad wszystko wywyższył i darował Mu imię ponad wszelkie imię, aby na imię Jezusa zgięło się każde kolano istot niebieskich i ziemskich, i podziemnych. I aby wszelki język wyznał, że Jezus Chrystus jest PANEM – ku chwale Boga Ojca”.

(Flp 2,5-11)

Zapamiętaj:

Układ liturgii Wielkiego Piątku

1. Oddanie czci Ukrzyżowanemu – księża padają na twarz, a wierni modlą się w ciszy.
2. Uroczysta liturgia słowa, z rozbudowaną modlitwą powszechną.
3. Uroczyste stopniowe odsłanianie krzyża, czemu towarzyszy śpiew: „Oto drzewo krzyża, na którym zawisło zbawienie świata" (wierni odpowiadają: „Pójdźmy z pokłonem").
4. Adoracja krzyża, odprawiana z miłością i wdzięcznością, należną Panu Jezusowi za Jego mękę i śmierć.
5. Komunia św. – zjednoczenie się z Chrystusem.
6. Przeniesienie monstrancji z Najświętszym Sakramentem do „grobu Pańskiego" i całonocna adoracja.

Pieśń:

Zbawienie przyszło przez krzyż –
ogromna to tajemnica.
Każde cierpienie ma sens:
prowadzi do pełni życia.

Jeżeli chcesz Mnie naśladować,
to weź swój krzyż na każdy dzień
i chodź ze Mną zbawiać świat
kolejny już wiek.

Codzienność wiedzie przez krzyż,
większy, im kochasz goręcej,
nie musisz ginąć już dziś,
lecz ukrzyżować swe serce.

Każde spojrzenie na krzyż
niech niepokojem zagości,
bo wszystko w życiu to nic
wobec tak wielkiej miłości.

Zadanie:

1. Zastanów się, co chciałbyś powiedzieć Panu Jezusowi podczas adoracji krzyża w Wielki Piątek.
2. Przyjdź na adorację Najświętszego Sakramentu w „grobie Pańskim".

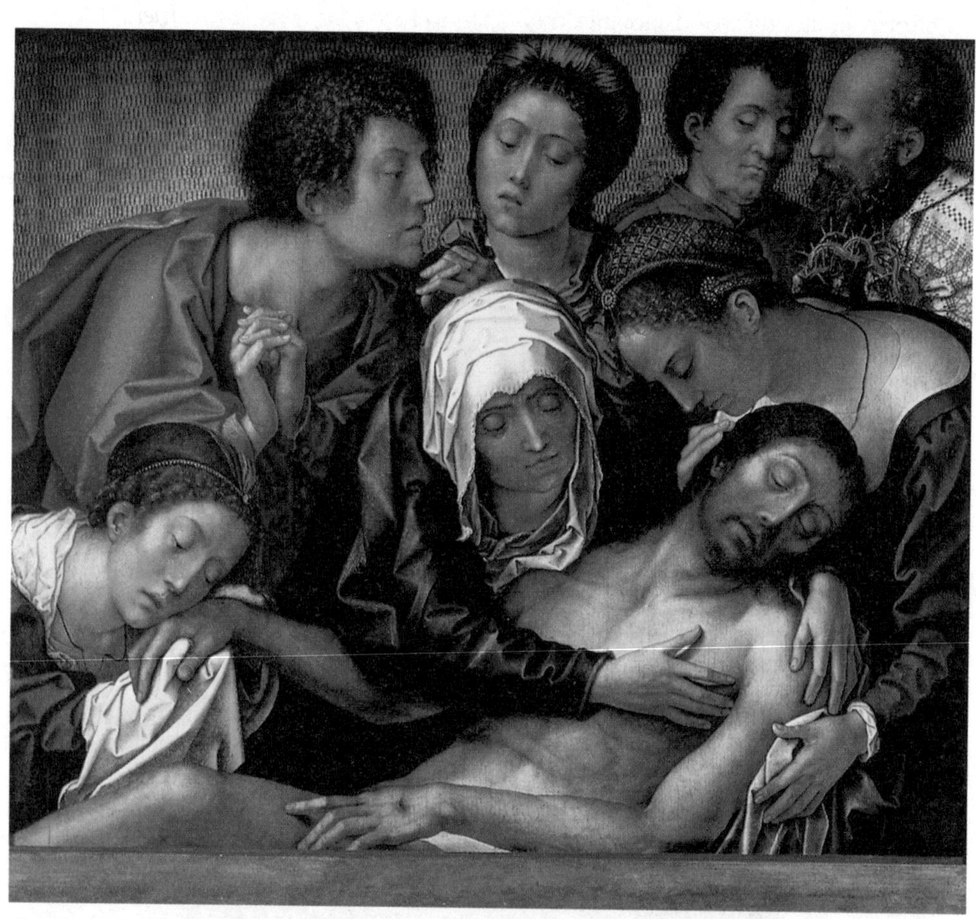

Opłakiwanie Chrystusa – Van Orley

VI
Wielkanoc – zapoczątkowanie pełni życia

Otrzyjcie już łzy, płaczący,
żale z serca wyzujcie.
Wszyscy w Chrystusa wierzący,
weselcie się, radujcie,
bo zmartwychwstał samowładnie,
jak przepowiedział dokładnie.
Alleluja, alleluja!
Niechaj zabrzmi: alleluja!

36. Liturgia Wigilii Paschalnej i Niedziela Zmartwychwstania

Po bolesnych przeżyciach Wielkiego Piątku sobota stała się dla wszystkich dniem oczekiwania. To była Wielka Sobota. Uczniowie Jezusa zwątpili i odeszli. Żydów dręczył niepokój, co będzie się działo, bowiem Jezus zapowiedział, że powstanie z martwych.

Dzisiaj Wielka Sobota jest dniem, w którym wszyscy trwamy w oczekiwaniu. Ciało Jezusa spoczywa w grobie. Zatrzymujemy się przy nim z modlitwą. Prosimy o pobłogosławienie pokarmów przygotowanych na stół wielkanocny. Nasze oczekiwanie jest jednak przepełnione radością, bo wiemy, że Jezus zwyciężył śmierć, dając nam nadzieję życia wiecznego. Wierzymy też, że Jezus zstąpił do otchłani, by wybawić oczekujące tam dusze. Wieczorem w Wielką Sobotę bierzemy udział w obrzędach Wigilii Paschalnej, na którą składa się:

1. LITURGIA ŚWIATŁA

Na placu przy kościele zapala się ognisko, wokół którego gromadzą się wierni. Tam też przychodzi kapłan, błogosławiąc ogień, a następnie zapalając od niego paschał, czyli dużą świecę, która ma przypominać, że Chrystus jest naszą Światłością i że do Niego należy cały świat.

– Jezu, Ty jesteś Światłością świata. Proszę Cię, ukaż mi drogę do nieba.

2. ORĘDZIE WIELKANOCNE

Z zapalonymi świecami w ręku wszyscy udają się procesjonalnie do kościoła, gdzie kapłan albo diakon śpiewa „Orędzie wielkanocne" (jest ono uwielbieniem Boga za wielkość Jego dzieł i podziękowaniem za to, czego dokonał w swoim Synu – „Światłości świata").

– Panie Boże, dziękuję Ci, że posłałeś na ziemię swojego Syna – „Światłość świata".

3. LITURGIA SŁOWA

Wsłuchujemy się w słowo Boże, które przedstawia nam historię zbawienia (może być siedem czytań ze Starego Testamentu i dwa z Nowego lub przynajmniej trzy ze Starego i dwa z Nowego Testamentu).

– Panie Jezu, naucz mnie słuchać Twojego słowa i żyć nim na co dzień.

4. LITURGIA CHRZCIELNA

Kapłan błogosławi wodę, pod koniec modlitwy wkłada paschał do naczynia z wodą i modli się o moc Ducha Świętego, aby „wszyscy, przez chrzest pogrzebani razem z Chrystusem w śmierci, z Nim też powstali do nowego życia". Wierni przyzywają wstawiennictwa wszystkich świętych (litania) oraz odnawiają przyrzeczenia chrzcielne.

– Panie Boże, dziękuję Ci za sakrament chrztu, w którym obmyłeś mnie z grzechu pierworodnego i napełniłeś Duchem Świętym.

5. LITURGIA EUCHARYSTYCZNA

Złożone na ołtarzu dary chleba i wina stają się Ciałem i Krwią Chrystusa, niepokalanego Baranka. Przyjmując Go, otrzymujemy życie wieczne. W Wigilię Paschalną śpiewamy radosne „alleluja".

– Panie Jezu, dziękuję Ci za Twoje święte Ciało i Krew, które dałeś nam jako pokarm na drogę do nieba.

Pomyśl:

– Co powinieneś zrobić, aby dzień Wigilii Paschalnej stał się dla ciebie i twojej rodziny dniem radosnego oczekiwania?

Uwielbiaj Pana Boga słowami modlitwy:

„Weselcie się już, zastępy aniołów w niebie: weselcie się, słudzy Boga. Niechaj zabrzmią dzwony głoszące zbawienie, gdy Król tak wielkie odnosi zwycięstwo. Raduj się, ziemio, opromieniona tak niezmiernym blaskiem, a oświecona jasnością Króla wieków poczuj, że wolna jesteś od mroku, co świat okrywa. Zdobny blaskiem takiej światłości, raduj się, Kościele święty, Matko nasza! Ta zaś świątynia niechaj zabrzmi potężnym śpiewem całego ludu. W tę noc pełną łaski przyjmij, Ojcze Święty, wieczorną ofiarę uwielbienia, którą Ci składa Kościół święty, uroczyście ofiarując przez ręce swoich sług tę świecę, owoc pracy pszczelego roju. Prosimy Cię przeto, Panie, niech ta świeca poświęcona na chwałę Twojego imienia nieustannie płonie, aby rozproszyć mrok tej nocy. Niech ta świeca płonie, gdy wzejdzie słońce nie znające zachodu: Jezus Chrystus, Twój Syn zmartwychwstały, który oświeca ludzkość swoim światłem i z Tobą żyje i króluje na wieki wieków".

(orędzie wielkanocne, fragmenty)

Boże, dziękujemy Ci za Jezusa, który za nas umarł na krzyżu i spoczywał w grobie. Dziękujemy Ci za Jego i nasze w Nim zmartwychwstanie. Pomóż nam dobrze przygotować się do zbliżających się świąt wielkanocnych.

Pieśń:

Zmartwychwstał Jezus, nasz Pan.
On żyje, On żyje!
Zmartwychwstał Jezus, nasz Pan.

Zadanie:

1. Nadaj własne nazwy poszczególnym obrzędom Wigilii Paschalnej.
2. Wyjaśnij symbolikę poszczególnych pokarmów, błogosławionych w Wielką Sobotę.
3. Przynieś na następną katechezę kilka kart wielkanocnych z wizerunkiem zmartwychwstałego Pana Jezusa.

37. „Alleluja, Jezus żyje!" – liturgia Niedzieli Zmartwychwstania

Zmartwychwstanie Chrystusa – Piero della Francesca

W życiu człowieka jest miejsce na wielkie i małe zwycięstwa. Zawodnicy wygrywają na stadionach, chłopcy w podwórkowych zabawach.

Zwycięstw może być bardzo wiele. Jest jednak zwycięstwo, o którym mówi się na całym świecie od dwóch tysięcy lat.

Jest to ZWYCIĘSTWO JEZUSA.

Pan Jezus pokonał śmierć, grzech i szatana. Dokonał tego, umierając na krzyżu.

Złożony w grobie, zmartwychwstał!

Pamiątką tego wydarzenia jest każda niedziela. Jednak w sposób szczególny wydarzenie to przeżywamy każdego roku w Niedzielę Wielkanocną.

„Alleluja, Jezus żyje!" – brzmią radosne słowa w ten wyjątkowy niedzielny poranek.

Po czterdziestu dniach przygotowania przez modlitwę i pokutę wielkopostną Kościół w dniu Wielkanocy czyta:

„Pierwszego dnia po szabacie, wczesnym rankiem, gdy jeszcze było ciemno, Maria Magdalena udała się do grobu i zobaczyła kamień odsunięty od grobu. Pobiegła więc i przybyła do Szymona Piotra i do drugiego ucznia, którego Jezus kochał, i rzekła do nich: «Zabrano Pana z grobu i nie wiemy, gdzie Go położono». Wyszedł więc Piotr i ów drugi uczeń i szli do grobu. Biegli oni obydwaj razem, lecz ów drugi uczeń wyprzedził Piotra i przybył pierwszy do grobu. A kiedy się nachylił, zobaczył leżące płótna, jednakże nie wszedł do środka. Nadszedł potem także Szymon Piotr, idący za nim. Wszedł on do wnętrza grobu i ujrzał leżące płótna oraz chustę, która była na Jego głowie, leżącą nie razem z płótnami, ale oddzielnie zwiniętą na jednym miejscu. Wtedy wszedł do wnętrza także i ów drugi uczeń, który przybył pierwszy do grobu. Ujrzał i uwierzył. Dotąd bowiem nie rozumieli jeszcze Pisma, [które mówi], że On ma powstać z martwych. Uczniowie zatem powrócili znowu do siebie.

Maria Magdalena natomiast stała przed grobem płacząc. A kiedy [tak] płakała, nachyliła się do grobu i ujrzała dwóch aniołów w bieli, siedzących tam, gdzie leżało ciało Jezusa – jednego w miejscu głowy, drugiego w miejscu nóg. I rzekli do niej: «Niewiasto, czemu płaczesz?» Odpowiedziała im: «Zabrano Pana mego i nie wiem, gdzie Go położono». Gdy to powiedziała, odwróciła się i ujrzała stojącego Jezusa, ale nie wiedziała, że to Jezus. Rzekł do niej Jezus: «Niewiasto, czemu płaczesz? Kogo szukasz?» Ona zaś sądząc, że to jest ogrodnik, powiedziała do Niego: «Panie, jeśli ty Go przeniosłeś, powiedz mi, gdzie Go położyłeś, a ja Go wezmę». Jezus rzekł do niej: «Mario!» A ona obróciwszy się powiedziała do Niego po hebrajsku: «Rabbuni», to znaczy: Nauczycielu".

(J 20,1-16)

Maria zastała pusty grób (to dlatego chrześcijaństwo nazywane jest religią „pustego grobu"). Jezusa spotkała w ogrodzie. Uwierzyła, że to ON.

A przecież...

Wydawało się wszystkim, że to koniec. Umarł. Zdjęli Go z krzyża.

Złożyli do grobu.

Zasunęli kamień. Zapieczętowali.

Postawili straże.

(Rzymski żołnierz za odejście z posterunku karany był śmiercią.)

Straże były pewne. Teraz już nic nie mogło się wydarzyć.

A jednak... Jezus zwyciężył!

Jezus zmartwychwstał!

Dziś, jak Maria, patrząc w pusty grób, wierzymy w zmartwychwstanie Jezusa. Kościół przypomina nam o tym wydarzeniu w znakach: zapalonego paschału, figury Jezusa zmartwychwstałego, krzyża przybranego czerwoną stułą.

Figurę i krzyż niesiemy w uroczystej porannej procesji rezurekcyjnej. Kapłan bierze wówczas z „grobu" monstrancję z Najświętszym Sakramentem i niesie ją przy śpiewie wielkanocnych pieśni. Swoją radość ze zmartwychwstania Jezusa Kościół wyśpiewuje w radosnym „alleluja".

Niech w święto radosne Paschalnej Ofiary
Składają jej wierni uwielbień swych dary.

Odkupił swe owce Baranek bez skazy,
Pojednał nas z Ojcem i zmył grzechów zmazy.

Śmierć zwarła się z życiem i w boju, o dziwy,
Choć poległ Wódz życia, króluje dziś żywy.

Maryjo, ty powiedz: coś w drodze widziała?
– Jam Zmartwychwstałego blask chwały ujrzała.

Żywego już Pana widziałam, grób pusty
I świadków anielskich, i odzież, i chusty.

Zmartwychwstał już Chrystus, Pan mój i nadzieja,
A miejscem spotkania będzie Galilea.

Wiemy, żeś zmartwychwstał, że ten cud prawdziwy,
O Królu-Zwycięzco, bądź nam miłościwy.

(Sekwencja)

Pomyśl:

- Jak przygotujesz się do świąt zmartwychwstania Jezusa?
- Czy twoje serce jest czyste i gotowe na spotkanie ze Zmartwychwstałym?
- Czy możesz powiedzieć z radością: „Jezus we mnie żyje"?

Boże, Ty w dniu dzisiejszym przez Twojego Syna pokonałeś śmierć i otworzyłeś nam bramy życia wiecznego, spraw, abyśmy obchodząc uroczystość Zmartwychwstania Pańskiego, zostali odnowieni przez Ducha Świętego i mogli zmartwychwstać do nowego życia w światłości. Przez Chrystusa, Pana naszego.

(kolekta z Niedzieli Wielkanocnej)

Zadanie:

1. Nawiedź pusty „grób" i pomódl się za ludzi, którzy w Wielkanoc nie będą na Mszy św.
2. Wklej do zeszytu kartę pocztową o tematyce wielkanocnej.
3. Naucz się na pamięć sekwencji wielkanocnej.

38. Zmartwychwstanie podstawą i źródłem chrześcijańskiego życia

Wypiek ciast. Duże porządki i wielkie zamieszanie.

Wszystko po to, aby należycie przygotować domową oprawę świąt wielkanocnych.

Tak było przed świętami.

Potem święta – święcenie pokarmów, suto zastawiony stół, goście, wspólne wyjście na Mszę św., śpiew „alleluja".

Pamiętamy jeszcze atrakcje Wielkanocnego Poniedziałku.

Teraz... już po świętach. Wszyscy wrócili do normalnego rytmu życia.

A przecież dokonało się

COŚ WIELKIEGO – CHRYSTUS ZMARTWYCHWSTAŁ!

Po raz kolejny obchodziliśmy pamiątkę tamtego wydarzenia. Gdyby go nie było, daremna byłaby nasza wiara.

Przypomnijmy sobie:

> „Piotr wybrał się i pobiegł do grobu; schyliwszy się, ujrzał same tylko płótna. I wrócił do siebie, dziwiąc się temu, co się stało".
>
> (Łk 24,12)

> „Tego samego dnia dwaj uczniowie byli w drodze do wsi, zwanej Emaus, oddalonej sześćdziesiąt stadiów od Jerozolimy. Rozmawiali oni z sobą o tym wszystkim, co się wydarzyło. Gdy tak rozmawiali i rozprawiali z sobą, sam Jezus przybliżył się i szedł z nimi. Lecz oczy ich były niejako na uwięzi, tak że Go nie poznali".
>
> (Łk 24,13-16)

Czasem nasza codzienność przypomina to, co przydarzyło się uczniom idącym do Emaus. Jezus musiał ich pouczać, przypominać Pisma, podzielić się z nimi chlebem, dopiero wtedy:

> „Oczy im się otworzyły i poznali Go, lecz On zniknął im z oczu".
>
> (Łk 24,31)

Dziś nie widzimy Zmartwychwstałego. Dziś wierzymy, że On żyje. Stało się tak, aby wypełnił się zapowiedziany przez proroków odwieczny plan Boga – zbawienie świata. Dla nas rozpoczyna się ono w sakramencie chrztu, gdy Chrystus uwalnia nas od grzechu pierworodnego. Człowiek otrzymuje wówczas nowe życie. W łasce uświęcającej staje się DZIECKIEM BOGA.

Nikt nie otrzymałby tego daru, gdyby Jezus nie zmartwychwstał!

> „On to został wydany za nasze grzechy i wskrzeszony z martwych dla naszego usprawiedliwienia".
>
> (Rz 4,25)

To dlatego Wielkanoc jest taka radosna. Śmierć nie jest już końcem. Jezus ją pokonał i dał nam nadzieję, że zmartwychwstaniemy, by żyć wiecznie.

Św. Piotr modlił się:

> „Niech będzie błogosławiony Bóg i Ojciec Pana naszego Jezusa Chrystusa. On w swoim wielkim miłosierdziu przez powstanie z martwych Jezusa Chrystusa na nowo zrodził nas do żywej nadziei: do dziedzictwa niezniszczalnego i niepokalanego, i niewiędnącego, które jest zachowane dla was w niebie".
>
> (1 P 1,3-4)

W Wielkanoc kapłan modli się:

Boże, Ty przez wielkanocne sakramenty udzieliłeś Twojemu Kościołowi nowego życia, otaczaj go nieustannie swoją opieką i doprowadź do chwały zmartwychwstania.

Za to nowe życie jesteśmy Jezusowi wdzięczni, śpiewając radosne „alleluja".

Pomyśl:
- Czy wierzysz, że Pan Jezus zmartwychwstał?
- Czy wierzysz, że przychodzi do Ciebie w Eucharystii pod postacią chleba i wina?

Pieśń:

Zmartwychwstał Pan, zmartwychwstał Pan,
zmartwychwstał Pan, alleluja.

O śmierci, gdzie jesteś, o śmierci?
Gdzie jest moja śmierć?
Gdzie jest jej zwycięstwo?

Radujmy się, radujmy się, bracia!
Jeśli dzisiaj się miłujemy,
to dlatego, że On zmartwychwstał.

Dzięki niech będą Ojcu,
który nas prowadzi do Królestwa,
gdzie się miłością żyje.

Jeśli z Nim umieramy,
z Nim też żyć będziemy,
z Nim śpiewać będziemy: alleluja.

Wieczerza w Emaus – Rembrandt van Rijn

Zadanie:
1. Napisz, dlaczego cieszysz się, że Jezus Chrystus zmartwychwstał.
2. Co otrzymałeś dzięki zmartwychwstaniu Chrystusa?

39. Uroczystość Wniebowstąpienia Pańskiego

Dwukrotnie powieszony

Roger Warren, tkacz z angielskiego hrabstwa Lancaster, został skazany w XVI wieku na karę śmierci przez powieszenie, gdyż pomagał księżom katolickim i dawał im schronienie w swoim domu. Założono mu stryczek na szyję, ale kiedy wyciągnięto mu spod nóg drabinkę, stryczek się zerwał i Warren upadł na ziemię. Po paru minutach skazaniec doszedł do siebie. Uklęknął i modlił się cicho. Jego oczy wpatrzone były w niebo, a twarz promieniała radością. Dowódca zaproponował mu jeszcze raz wolność, jeśli wyrzeknie się swej wiary. Warren podniósł głowę i rzekł:
– Jestem gotów tak samo jak przedtem umrzeć za Chrystusa. Róbcie ze mną, co chcecie. – I ponownie przystawił drabinkę.
– O co chodzi, po co ten pośpiech? – krzyknął dowódca.
Warren odpowiedział:
– Gdybyście widzieli to, co ja ujrzałem, spieszylibyście umrzeć, tak samo jak ja.
Kat założył mu silniejszy powróz i znów wyciągnął drabinkę spod nóg. Tak zmarł męczennik, Robert Warren.

(P. Lefévre, Jak zmienić swoje życie, Poznań 1993, s. 94)

Wniebowstąpienie – Andrea Mantegna

Podobne chwile szczęścia przeżył wcześniej pierwszy męczennik Kościoła – św. Szczepan, który w chwili śmierci wołał:

> „Widzę niebo otwarte i Syna Człowieczego, stojącego po prawicy Boga".
>
> (Dz 7,56)

Chrześcijanie, którzy oddawali życie za wiarę, cieszyli się, bo widzieli Jezusa siedzącego na tronie po prawicy Ojca. Wstąpił On tam, jak czytamy w Piśmie św. Nowego Testamentu, czterdzieści dni po swoim zmartwychwstaniu.

> „Potem wyprowadził ich ku Betanii i podniósłszy ręce błogosławił ich. A kiedy ich błogosławił, rozstał się z nimi i został uniesiony do nieba".
>
> (Łk 24,50-51)

Czym jest wniebowstąpienie Pana Jezusa?
„Wniebowstąpienie Chrystusa oznacza Jego uczestnictwo, razem z człowieczeństwem, w mocy i władzy samego Boga. Jezus Chrystus jest Panem i dlatego posiada wszelką władzę w niebie i na ziemi. Jest On «ponad wszelką Zwierzchnością i Władzą, i Mocą, i Panowaniem», ponieważ Ojciec «wszystko poddał pod Jego stopy» (Ef 1,20-22). Chrystus jest Panem wszechświata i historii".
(KKK 668)

Skoro Chrystus zasiadł po prawicy Ojca, to i my razem z Nim możemy mieć udział w Jego chwale. W uroczystość Wniebowstąpienia Pańskiego z kapłanem modlimy się więc słowami prefacji:

Zaprawdę godne to i sprawiedliwe, słuszne i zbawienne, abyśmy zawsze i wszędzie składali Tobie dziękczynienie, Panie, Ojcze Święty, wszechmogący wieczny Boże. Albowiem Pan Jezus, Zwycięzca grzechu i śmierci, wstąpił do nieba jako Król chwały, którego podziwiają aniołowie. On jest Pośrednikiem między Bogiem a ludźmi, Sędzią świata i Władcą stworzenia. Wstępując do nieba, nie porzucił nas w niedoli, lecz jako nasza Głowa wyprzedził nas do niebieskiej ojczyzny, aby umocnić naszą nadzieję, że jako członki Mistycznego Ciała również tam wejdziemy.

Jezus obiecał:

„Ja, gdy zostanę nad ziemię wywyższony, przyciągnę wszystkich do siebie".

(J 12,32)

Dziecko zwraca się do matki:
– Niebo jest tam w górze, prawda? – i pokazuje w powietrze.
– Jakie niebo masz na myśli? -- pyta matka.
– No, niebo – mówi dziecko.
– Czy myślisz o niebie pokrytym chmurami, tym, po którym latają samoloty? – cierpliwie pyta dalej matka.
– Nie, o prawdziwym niebie, w którym są aniołowie – odpowiada dziecko.
– Niebo, o które ci chodzi, jest tam, gdzie jest Bóg. A Bóg jest wszędzie. Dlatego i niebo nie jest gdzieś ponad nami, lecz wszędzie – w nas i wokół nas. Tylko że na razie nie potrafimy go jeszcze zobaczyć. Bóg musi dać nam najpierw inne oczy i inne serca.

(Z. Trzaskowski, Zdać się na Boga, Kielce 1993, t. II, s.127)

Każdy z nas powinien przygotować się na to spotkanie z Chrystusem w niebie.

Pomyśl:

- Czy pragniesz spotkać się z Chrystusem?
- Jak musi wyglądać twoje życie, aby było godne nieba?

Pieśń:

Panie, Twój tron wznosi się
nad wszystkie ziemie świata.
Jesteś najwyższy, chwała Twoja
wiecznie trwa.
Wywyższamy Cię, wywyższamy Cię,
wywyższamy Cię, Boże nasz.

Zadanie:

1. Napisz, jakie serce, oczy, ręce powinien mieć każdy, kto chce przebywać z Jezusem w niebie.
2. Ułóż wiersz lub opowiadanie na temat nieba.
3. Wykonaj rysunek do tekstu prefacji z uroczystości Wniebowstąpienia Pańskiego.

40. Duch Święty działa pośród nas

Po wniebowstąpieniu Jezusa apostołowie ukryli się: groziło im więzienie, a nawet śmierć. Może chcieli przeczekać? Może liczyli na to, że z czasem wszystko przycichnie? Modlili się i oczekiwali.

„Kiedy nadszedł wreszcie dzień Pięćdziesiątnicy, znajdowali się wszyscy razem na tym samym miejscu. Nagle dał się słyszeć z nieba szum, jakby uderzenie gwałtownego wiatru, i napełnił cały dom, w którym przebywali. Ukazały się im też języki jakby z ognia, które się rozdzieliły, i na każdym z nich spoczął jeden. I wszyscy zostali napełnieni Duchem Świętym, i zaczęli mówić obcymi językami, tak jak im Duch pozwalał mówić. Przebywali wtedy w Jerozolimie pobożni Żydzi ze wszystkich narodów pod słońcem. Kiedy więc powstał ów szum, zbiegli się tłumnie i zdumieli, bo każdy słyszał, jak przemawiali w jego własnym języku. «Czyż ci wszyscy, którzy przemawiają, nie są Galilejczykami?» – mówili pełni zdumienia i podziwu. «Jakżeż więc każdy z nas słyszy swój własny język ojczysty?»"

(Dz 2,1-8)

Nagle zmieniło się wszystko, tak jak w ciemnym pokoju po zapaleniu światła. Duch Święty napełnił swoją mocą apostołów, tak jak światło wypełnia ciemny pokój. Niepewność uczniów przemienił w odwagę. Tak oświecił ich umysły, że zadziwiali swoją mądrością. Próbowano wytłumaczyć tę dziwną zmianę: „upili się młodym winem".

Od tego czasu Chrystus nieustannie posyła swoim uczniom Ducha Świętego.

Mała dziewczynka podskakiwała, chwytając w rączkę powietrze, które wychodziło z ust jej babci, rozmawiającej z sąsiadką. Babcia po chwili przywołała ją do porządku. Jednak dziewczynka, gdy tylko babcia zaczęła rozmawiać, wróciła do swojej zabawy. Starsza pani zdenerwowała się.

– Przestań mi wreszcie wymachiwać ręką wokół ust.

– Babciu, ależ ja chcę tylko złapać twoje słowa.

Gdy Duch Święty zstępuje na kogoś, nie towarzyszą temu żadne nadnaturalne zjawiska. Nic nie widać.

Duch Święty działa w sercu. Odmienia je tak, że ludzie się dziwią: „Przecież ten człowiek wychowywał się pośród nas. Chodził z nami do szkoły. Skąd on ma taką mądrość?"

Zapominają o słowach Jezusa:

„Gdy Duch Święty zstąpi na was, otrzymacie Jego moc i będziecie moimi świadkami w Jerozolimie i w całej Judei, i w Samarii, i aż po krańce ziemi".

(Dz 1,8)

„Pocieszyciel, Duch Święty, którego Ojciec pośle w moim imieniu, On was wszystkiego nauczy i przypomni wam wszystko, co Ja wam powiedziałem".

(J 14,26)

Apostoł narodów, św. Paweł, który doświadczył w życiu działania Ducha Świętego, mówi:

„Nadzieja zawieść nie może, ponieważ miłość Boża rozlana jest w sercach naszych przez Ducha Świętego, który został nam dany".

(Rz 5,5)

„Duch przychodzi z pomocą naszej słabości. Gdy bowiem nie umiemy się modlić tak, jak trzeba, sam Duch przyczynia się za nami w błaganiach, których nie można wyrazić słowami".

(Rz 8,26)

Duch Święty jest Duchem jedności. Katechizm Kościoła Katolickiego przypomniał nam:
„Wszyscy, którzy otrzymaliśmy jednego, tego samego Ducha... jesteśmy zespoleni między sobą i z Bogiem".

(KKK 738)

Aby jednak Duch Święty mógł napełnić serce człowieka, trzeba je otworzyć i przygotować na Jego przyjście. Dlatego w uroczystość Zesłania Ducha Świętego modlimy się:

Boże, Ty przez misterium dnia dzisiejszego uświęcasz swój Kościół ogarniający wszystkie ludy i narody, ześlij dary Ducha Świętego na całą ziemię i dokonaj w sercach wiernych tych cudów, które zdziałałeś w początkach głoszenia Ewangelii.

(kolekta)

Przybądź, Duchu Święty,
Ześlij z nieba wzięty
Światła Twego strumień.
Przyjdź, Ojcze ubogich,
Przyjdź, Dawco łask drogich,
Przyjdź Światłości sumień.

O najmilszy z gości,
Słodka serc radości,
Słodkie orzeźwienie,
W pracy Tyś ochłodą,
W skwarze żywą wodą,
W płaczu utulenie.

Pomyśl:

Ducha Świętego po raz pierwszy otrzymałeś w sakramencie chrztu. Jak powinieneś się przygotować do uroczystości Zesłania Ducha Świętego, abyś został napełniony Jego darami?

Pełnię darów Ducha Świętego otrzymasz w sakramencie bierzmowania.

Pieśń:

Przyjdź, Duchu Święty, ja pragnę.
O to dziś błagam Cię:
przyjdź w swojej mocy i sile,
radością napełnij mnie.
Przyjdź jako Mądrość do dzieci,
przyjdź jak ślepemu wzrok,
przyjdź jako moc w mej słabości,
weź wszystko, co moje jest.
Przyjdź jako Zródło w pustyni
z mocą swą do naszych dusz.
O, niech Twa moc uzdrowienia
dotknie, uleczy mnie już.

Zadanie:

1. Wykonaj w zeszycie ilustrację do dzisiejszej katechezy.
2. Ułóż modlitwę do Ducha Świętego i módl się nią jak najczęściej.

Pięćdziesiątnica – El Greco

VII
CZAS ZWYKŁY W CIĄGU ROKU – HISTORIA ZBAWIENIA TRWA

„Mów, Panie, bo sługa Twój słucha”.

(1 Sm 3,10)

41. Matka Jezusa jest Matką Kościoła

Jednym z najcudowniejszych darów, jakie otrzymaliśmy od Boga, jest nasza mama. Tak dużo jej zawdzięczamy. Tak dużo od niej otrzymujemy. Tak bardzo ją kochamy. Maryja to także nasza Matka. Jej zostaliśmy powierzeni przez Chrystusa w dniu Jego śmierci:

„Obok krzyża Jezusowego stały: Matka Jego i siostra Matki Jego, Maria, żona Kleofasa, i Maria Magdalena. Kiedy więc Jezus ujrzał Matkę i stojącego obok Niej ucznia, którego miłował, rzekł do Matki: «Niewiasto, oto syn Twój». Następnie rzekł do ucznia: «Oto Matka twoja». I od tej godziny uczeń wziął Ją do siebie".

(J 19,25-27)

List do Matki

Poeci tworzą papierowe wiersze
i pieśni o matce na falach eteru,
bo matka to gwiazda,
podpora i muza,
i okno z kwiatem na szerokie światy.
Ja piszę nie wierszem pełnym gładkich rymów,
tęsknota mi rymy wszystkie pomieszała,
ale list prosty piszę do Ciebie, mamo,
pełen rozłąki i pełen miłości.
Kiedy po pracy usiądziesz zmęczona,
całuję Twoje zmęczenie.
Kiedy Cię smutek omroczy bardzo,
całuję Twój smutek.
Gdy będziesz ręce po chleb wyciągała,
całuję Twoje ręce.
Gdy się uśmiechasz do dawnych
wspomnień,
całuję Twój uśmiech.
Kiedy pomyślisz o synu dalekim,
całuję Twoje myśli,
bo Twoje serce, oczy, ręce
i Twoje włosy, słowa, ślady,
jak akord cudowny uchronię zawsze
od zapomnienia.

(T. Śmiech, Z. Trzaskowski, Wszystkie twarze miłości w jednej twojej, Kielce 1995, s. 103-104)

„Kościół odczytując tę scenę wierzy, że sam Chrystus tymi słowami wypowiedzianymi z krzyża ogłosił Maryję Matką nie tylko (...) swojego ucznia, ale wszystkich (...), którzy złączeni z Nim i między sobą, tworzą wspólnotę, czyli Kościół".

(Spotkanie z Bogiem w Kościele, w: Tajemnice Kościoła, Katowice 1991, s. 38)

Ciesząc się tym, że Maryja jest naszą Matką – Matką Kościoła, na przeróżne sposoby oddajemy Jej cześć:

- odmawiamy „Litanię loretańską” i śpiewamy Jej pieśni
- modlimy się na różańcu
- udajemy się na pielgrzymki do znanych sanktuariów
- sławimy Ją modlitwami:
  „Zdrowaś Maryjo”
  „Pod Twoją obronę”
  „Anioł Pański”.

Maryja przyjmuje wszystkie nasze prośby, dziękczynienia i przedstawia je swemu Synowi, bo tylko On może udzielić potrzebnych nam łask.

Już w Kanie Galilejskiej Maryja udowodniła, że każda z naszych potrzeb jest dla Niej ważna i o każdej powie Jezusowi. Stawia tylko jeden warunek:

„Zróbcie wszystko, cokolwiek wam powie”.

(J 2,5)

Gody w Kanie Galilejskiej – anonim z XV w.

Kochać Maryję, Matkę Kościoła, to nie tylko Ją czcić i modlić się do Niej, ale we wszystkim Ją naśladować.

Matka Jezusa	Moja mama
Karmi Jezusa, dba o dom w Nazarecie, towarzyszy Jezusowi w wędrówkach, uczy prac domowych, szuka Go w świątyni, jest z Nim na weselu w Kanie, stoi pod krzyżem	

Zadanie:

1. Napisz, w jaki sposób możesz naśladować Maryję w swoim życiu.
2. Wypisz z „Litanii loretańskiej” określenia Matki Bożej (np. nieskalana, najmilsza) i opisz szerzej trzy dowolnie wybrane.
3. Weź udział we Mszy św. w dniu Matki Kościoła.
4. Uzupełnij puste miejsce w tabeli, wpisując określenia wspólne Matce Jezusa i twojej mamie.

42. Czas zwykły w ciągu roku

Aby człowiek mógł docenić piękno stroju wyjściowego, musi najpierw trochę pochodzić w ubraniu codziennym.

Aby cieszył się jakimś wyjazdem, musi poznać monotonię przebywania w jednym miejscu. Do wyjazdu należy się przygotowywać. Na wyjazd krótki – krótko. Jeśli jednak jest to wyjazd dłuższy – dłużej. Podobnie można spojrzeć na czas w ciągu roku. Są okresy oczekiwań.

Pośród nich szczególne miejsce zajmuje Adwent. Są też okresy przygotowania się do świąt i uroczystości. Najdłuższy z nich to okres Wielkiego Postu.

Jest też przestrzeń czasowa, którą da się porównać z morzem lub pustynią. Morze: jak okiem sięgnąć – wszędzie woda. Na pustyni: wokół tylko piasek i piasek. Przyjrzyjmy się im dokładniej.

Okazuje się, że ani morze, ani pustynia wcale nie są monotonne. Na morzu fale płyną jedna za drugą. W czasie sztormu są tak wysokie, że przelewają się przez pokład. Piasek na pustyni też nie jest płaski jak szklana tafla. Gdy przychodzi burza piaskowa, całe jego tumany unoszą się w powietrzu i wciskają w każdy zakamarek.

Ten okres podobny do morza lub pustyni nazywamy okresem zwykłym w ciągu roku. Jest to czas ważny, czas przybliżania się do Boga. Potrzebny tak samo, jak tydzień pracy, by dobrze świętować niedzielę.

Jest to więc czas słuchania Bożego słowa, wzywającego do życia Ewangelią na co dzień: na katechezie, na modlitwie, podczas Mszy św. Jest to czas Kościoła. Okres zwykły podzielony jest w ciągu roku na dwie części. Krótsza z nich rozpoczyna się po uroczystości Objawienia Pańskiego (Trzech Króli) i trwa do Środy Popielcowej. Dłuższa to okres od uroczystości Zesłania Ducha Świętego do uroczystości Chrystusa Króla.

Bardzo łatwo go odróżnić od innych okresów roku liturgicznego. W okresie zwykłym kapłan podczas Mszy św. niedzielnej ubrany jest w szaty w kolorze zielonym. Zieleń oznacza życie i nadzieję. Dla chrześcijan jest to nadzieja nieba.

Pomyśl:

- Jak przykładasz się do pracy, aby zdobyć niebo?
- Co robisz, aby być zdolnym do życia w świecie pełnym miłości, dobroci – blisko zmartwychwstałego Jezusa?

„Dlatego powiadam wam: Nie troszczcie się zbytnio o swoje życie, o to, co macie jeść i pić, ani o swoje ciało, czym się macie przyodziać. Czyż życie nie znaczy więcej niż pokarm, a ciało więcej niż odzienie? Przypatrzcie się ptakom w powietrzu: nie sieją ani żną i nie zbierają do spichrzów, a Ojciec wasz niebieski je żywi. Czyż wy nie jesteście ważniejsi niż one? Kto z was przy całej swej trosce może choćby jedną chwilę dołożyć do wieku swego życia? A o odzienie czemu się zbytnio troszczycie? Przypatrzcie się liliom na polu, jak rosną: nie pracują ani przędą. A powiadam wam: nawet Salomon w całym swoim przepychu nie był tak ubrany jak jedna z nich. Jeśli więc ziele na polu, które dziś jest, a jutro do pieca będzie wrzucone, Bóg tak przyodziewa, to czyż nie tym bardziej was, małej wiary? Nie troszczcie się więc zbytnio i nie mówcie: co będziemy jeść? co będziemy pić? czym będziemy się przyodziewać? Bo o to wszystko poganie zabiegają. Przecież Ojciec wasz niebieski wie, że tego wszystkiego potrzebujecie. Starajcie się naprzód o królestwo [Boga] i o Jego sprawiedliwość, a to wszystko będzie wam dodane. Nie troszczcie się więc zbytnio o jutro, bo jutrzejszy dzień sam o siebie troszczyć się będzie. Dosyć ma dzień swojej biedy”.

(Mt 6,25-34)

Pieśń:

Szukajcie wpierw królestwa Bożego
i jego sprawiedliwości,
a wszystko inne będzie wam przydane.
Alleluja, alleluja.

Zadanie:
Wybierz się na Mszę św. w któryś z powszednich dni tygodnia.

43. Święty Józef – opiekun Jezusa

Tata pod łóżkiem

Kiedy byłam mała, ojciec był dla mnie czymś takim, jak światełko w lodówce. I ojciec, i światełko było w każdym domu, lecz w rzeczywistości nikt nie wiedział, co robią, zarówno jedno, jak i drugie, kiedy już drzwi zostały zamknięte.

Mój ojciec wychodził z domu każdego ranka, a wieczorem, gdy wracał, wydawał się szczęśliwy, że znów nas widzi. Jedynie on potrafił otworzyć słoik z ogórkami, podczas gdy innym to się nie udawało. Tylko on nie bał się chodzić sam do piwnicy. Zacinał się przy goleniu, lecz nikt nie dawał mu buzi, aby uśmierzyć ból ani się tym nie przejmował. Kiedy padał deszcz, oczywiście on szedł po samochód i ustawiał go przed wejściem. Gdy ktoś zachorował, on wychodził kupić lekarstwa. Zastawiał pułapki na myszy, przycinał róże, aby można było wejść do domu nie kłując się. Kiedy dostałam w prezencie mój pierwszy rower, przez wiele kilometrów pedałował obok mnie, aż w końcu nauczyłam się radzić sobie sama. Bałam się wszystkich innych ojców, ale nie mojego. Kiedyś przygotowałam mu herbatę. Była to tylko osłodzona woda, lecz on usiadł na dziecięcym krzesełku i popijał ją, twierdząc, że jest wyśmienita.

Za każdym razem, gdy bawiłam się lalkami, lalka-mama miała zawsze mnóstwo rzeczy do zrobienia. Nie wiedziałam jednak, co kazać robić lalce-tacie, więc mówiła ona tylko:

– Dobrze, no to idę do pracy – a potem wrzucałam ją pod łóżko.

Kiedy miałam dziesięć lat, któregoś ranka mój ojciec nie wstał z łóżka, by jak zwykle pójść do pracy. Zabrano go do szpitala, gdzie umarł następnego dnia. Wówczas poszłam do swojego pokoju i wyciągnęłam spod łóżka lalkę-tatę. Odkurzyłam ją i posadziłam na łóżku.

Mój ojciec nigdy nic nie robił. Nie wyobrażałam sobie, że jego odejście sprawi mi tyle bólu. Do dzisiaj nie wiem dlaczego.

Erma Bombeck

(B. Ferrero, Ważna róża, Warszawa 1995, s. 33-34)

Pan Jezus miał swoją rodzinę: Matkę i Ojca. Prawdziwym Ojcem Jezusa jest Bóg. Natomiast ojcem ziemskim – opiekunem Jezusa, był św. Józef. Co wiesz na jego temat? Artyści często przedstawiają św. Józefa z Dzieciątkiem Jezus na ręku, chcąc ukazać, jaką serdeczną, ojcowską troską otaczał Bożego Syna. Z jaką wielką miłością tulił go do siebie! To Dziecię było zarazem jego Bogiem, jego Mistrzem, Nauczycielem. Kwiat lilii – symbol niewinności, w ręku św. Józefa ma nam uświadamiać, że nie tylko jego serce, ale całe życie było nieskalane i niewinne.

Św. Mateusz Ewangelista relacjonuje:

„Z narodzeniem Jezusa Chrystusa było tak. Po zaślubinach Matki Jego, Maryi, z Józefem, wpierw nim zamieszkali razem, znalazła się brzemienną za sprawą Ducha Świętego. Mąż Jej, Józef, który był człowiekiem sprawiedliwym i nie chciał narazić Jej na zniesławienie, zamierzał oddalić Ją potajemnie. Gdy powziął tę myśl, oto anioł Pański ukazał mu się we śnie i rzekł: «Józefie, synu Dawida, nie bój się wziąć do siebie Maryi, twej Małżonki; albowiem z Ducha Świętego jest to, co się w Niej poczęło. Porodzi Syna, któremu nadasz imię Jezus, On bowiem zbawi swój lud od jego grzechów». A stało się to wszystko, aby się wypełniło słowo Pańskie powiedziane przez Proroka: Oto Dziewica pocznie i porodzi Syna, któremu nadadzą imię Emmanuel, to znaczy: «Bóg z nami». Zbudziwszy się ze snu, Józef uczynił tak, jak mu polecił anioł Pański: wziął swoją Małżonkę do siebie, lecz nie zbliżał się do Niej, aż porodziła Syna, któremu nadał imię Jezus”.

(Mt 1,18-25)

Św. Józef, powołany przez Boga, otaczał opieką i troszczył się o potrzeby Świętej Rodziny w Nazarecie. Był żywicielem Syna Bożego i Jego Matki. Jak każdy dobry ojciec, zarabiał na utrzymanie swojej rodziny. Był cieślą.

19 marca Kościół oddaje mu cześć jako Oblubieńcowi Najświętszej Maryi Panny.

1 maja przeżywamy natomiast święto Józefa Robotnika.

Przez niego chcemy oddać Bogu chwałę, a dla siebie wyprosić jego opiekę i pomoc w życiu.

Wielki czciciel św. Józefa – męża wiary i modlitwy, Mieczysław Stępień, tak opisuje cudowne działanie i pomoc św. Józefa w życiu swojej rodziny:

„...w 1944 r., gdy zbliżał się front, nastąpiło wysiedlenie wioski, ojciec w ostatniej chwili zdjął ze ściany obraz św. Józefa i oddał w opiekę los swojej rodziny, mówiąc: „Święty Józefie, jak się opiekowałeś Świętą Rodziną, opiekuj się i moją”.
Św. Józef nie zawiódł ojca.
Na pierwszym odcinku trasy wysiedlenia w stronę Tarnowa podszedł do ojca Niemiec i kazał mu stłuc ten obraz. Ojciec powiedział, że tego nie uczyni. Wtedy żołnierz wycelował w niego karabin, a on zasłonił się obrazem. Po chwili Niemiec wyładował serię kul w ziemię”.

(Rycerz Niepokalanej 3/94, s. 143)

Zadanie:

1. Wykonaj plakat do dzisiejszego tematu.
2. Napisz, za co kochasz swojego tatę czy opiekuna.
3. Powierz św. Józefowi potrzeby swojej rodziny, odmawiając litanię do św. Józefa.
4. Z niżej wymienionych imion męskich wypisz jedno lub dwa, które kojarzy ci się z: kochającym ojcem – wzorowym mężem – troskliwym opiekunem – dobrym pracownikiem: Jakub, Tadeusz, Marek, Marcin, Józef, Bartłomiej, Tomasz, Stanisław, Wojciech, Mojżesz, Abraham, Jan, Zachariasz, Zacheusz. Uzasadnij, dlaczego podkreśliłeś właśnie te imiona, lub dopisz inne według własnego uznania.

44. Oddaję cześć Maryi w nabożeństwie majowym

Pieśnią wesela witamy,
o Maryjo, miesiąc Twój!
My Ci z serca cześć składamy,
Ty nam otwórz łaski zdrój.
W tym miesiącu ziemia cała
życiem, wonią, wdziękiem lśni,
wszędzie Twoja dźwięczy chwała,
gdy majowe płyną dni.
Słońce maja niech osuszy
z każdych oczu smutek, łzę.
Rosa łaski w każdej duszy
niech obmyje grzechu rdzę.
Dla nas wszystkich niech zaświta
Twej miłości błogi raj,
całej ziemi niech zakwita,
o Maryjo, śliczny maj.

(autor nieznany)

Maj to miesiąc, w którym wiosna rozkwita już w całej okazałości. Śpiew ptaków, zieleń łąk, kolory kwiatów – to wszystko sprawia, że jesteśmy radośni i pełni życia. W naszym kraju jest to miesiąc najpiękniejszy. Całe jego piękno ofiarujemy Maryi, naszej Matce i Królowej. W tym celu gromadzimy się na nabożeństwach majowych w kościele. Każdego dnia przed wystawionym Najświętszym Sakramentem odmawiamy litanię do Matki Bożej i śpiewamy maryjne pieśni, oczekując, by wskazała nam najprostszą drogę do Jezusa – naszego Zbawiciela.

W wielu parafiach istnieje też zwyczaj gromadzenia się wiernych obok przydrożnych kapliczek lub figur Matki Bożej. Zdobimy je kwiatami i wspólnie śpiewamy pieśni.

Pomyśl:
- Jak uczcisz Maryję w tym roku?
- Z czego będzie składał się twój bukiet przygotowany dla Niej?
- Jakie sprawy twoje i twoich bliskich chciałbyś przez Jej ręce przedstawić Jezusowi?

„«Błogosławić mnie będą wszystkie pokolenia» (Łk 1,48). «Pobożność Kościoła względem Świętej Dziewicy jest wewnętrznym elementem kultu chrześcijańskiego». Najświętsza Dziewica (...) czczona jest pod zaszczytnym imieniem Bożej Rodzicielki, pod której obronę uciekają się w modlitwach wierni we wszystkich swoich przeciwnościach, powinnościach i potrzebach... Kult ten (...) wyraża się w świętach liturgicznych poświęconych Matce Bożej oraz w modlitwie..."

(KKK 971)

Pieśń:

Zdrowaś Maryjo, Bogarodzico,
błagamy Ciebie, święta Dziewico:
niech łaska Twoja zawsze nam sprzyja,
módl się za nami, zdrowaś Maryja!

Wśród czystych duchów w obliczu Pana
Tyś przenajświętsza, niepokalana,
jak pośród kwiatów wonna lilija,
jak wśród gwiazd zorza, zdrowaś Maryja!

Ty, coś karmiła świata Zbawienie,
Ty nam, jak matka, daj pożywienie,
niech brak żywności nas nie zabija,
broń nas od głodu, zdrowaś Maryja!

Zadanie:
1. Znajdź w twoim modlitewniku pieśni maryjne i naucz się kilku z nich.
2. Wklej do zeszytu obrazek Matki Bożej i narysuj wokół niego tyle kolorowych kwiatów, ile razy weźmiesz udział w nabożeństwie majowym.
3. Ułóż religijną krzyżówkę do hasła „Majowa Pani".

45. Maryja – Królowa Polski

Naród polski wielokrotnie w ciągu swych dziejów doświadczał szczególnej opieki Matki Bożej. Moc tej opieki zajaśniała wyjątkowo podczas najazdu szwedzkiego. Po cudownej obronie Jasnej Góry przed Szwedami, 1 kwietnia 1656 roku król Jan Kazimierz uroczystym aktem oddał nasz kraj pod Jej opiekę, obierając i ogłaszając Matkę Bożą Królową Polski:

Wielka Boga-Człowieka Matko, Przeczysta Panno! Ja, Jan Kazimierz, z łaski Twego Syna, Króla królów, a Pana swojego, i z Twojej łaski król, u stóp Twoich najświętszych padając na kolana, obieram Cię dzisiaj za Patronkę, moją i moich państw Królową, i polecam Twojej szczególnej opiece i obronie siebie samego i moje Królestwo Polski... Wzywam pokornie w tym opłakanym i zamieszanym królestwa mego stanie Twojego miłosierdzia i pomocy przeciw nieprzyjaciołom Rzymskiego Kościoła. A ponieważ największymi Twymi dobrodziejstwami zobowiązany czuję w sobie gorące pragnienie służenia Ci gorliwie z narodem, przyrzekam więc, moim oraz imieniem rządów i ludu, Tobie i Twemu Synowi, Panu naszemu, Jezusowi Chrystusowi, że cześć Twoją wszędzie po krajach mego królestwa szerzyć będę. Przyrzekam wreszcie i ślubuję wyjednać u Stolicy Apostolskiej... aby dzień ten corocznie dla Ciebie i Syna Twego na podzięce za łaski wiecznymi czasy obchodzono i święcono.

W 1924 roku papież Pius XI ustanowił specjalne święto ku czci Najświętszej Maryi Panny – Królowej Polski i pozwolił je obchodzić w pamiętnym dniu uchwalenia Konstytucji 3 Maja.

Papież Jan XXIII ogłosił Najświętszą Maryję Pannę Królową Polski i główną patronką kraju, obok świętych biskupów-męczenników Wojciecha i Stanisława. Modląc się do Maryi prosimy, aby nieustannie wstawiała się u Boga za całym narodem. Prosimy Ją także, by swoją modlitwą do Jezusa wspierała nas w walce ze Złym, aby nam upraszała potrzebne łaski (pomoc Bożą) do pracy, do miłowania innych, do dzielnego stawiania czoła cierpieniom i przeciwnościom.

Maryjo, Królowo Polski,
Maryjo, Królowo Polski,
jestem przy Tobie, pamiętam,
jestem przy Tobie, pamiętam,
czuwam.

Boże, Ty dałeś narodowi polskiemu w Najświętszej Maryi Pannie przedziwną pomoc i obronę, spraw łaskawie, aby za wstawiennictwem naszej Matki i Królowej religia nieustannie cieszyła się wolnością, a Ojczyzna rozwijała się w pokoju. Przez naszego Pana, Jezusa Chrystusa, Twojego Syna, który z Tobą żyje i króluje w jedności Ducha Świętego, Bóg przez wszystkie wieki wieków.

Pomyśl:

- Kim jest dla ciebie Maryja?
- Czym możesz sprawić radość Królowej Polski?
- Jak często jesteś na nabożeństwach majowych?
- Kiedy odmawiałeś różaniec?
- Jak często w swojej modlitwie polecasz opiece Maryi naszą Ojczyznę?

Pieśń:

O wielka Matko Boga i Człowieka,
Tobie ojcowie nasi ślubowali,
Twojej opiece los całego świata
oraz Ojczyzny naszej powierzali.
Dziś wielkie hasła wcielać chcemy w życie,
by nie złamane było dane słowo,
chcemy wypełniać wszystkie przyrzeczenia,
w Twoją opiekę oddać się na nowo.

Królowo Polski, przed Twym tronem
odnowić śluby nasze chcemy,
by jak przed laty znów powiedzieć,
że przyrzekamy i ślubujemy.
Wolności, wiary i Kościoła
za wszelką cenę strzec będziemy.
Królowo Polski, przyrzekamy,
Królowo Polski, ślubujemy.

Śluby lwowskie – Jan Matejko

Zadanie:

1. Napisz, w jaki sposób naród polski oddaje cześć swojej Królowej.
2. Weź udział we Mszy św. 3 maja.
3. Napisz własny akt oddania się Maryi – Królowej Polski.

46. Liturgia uroczystości Trójcy Świętej

Kiedy statek biskupa zatrzymał się na jeden dzień na odległej wyspie, biskup postanowił spędzić ten dzień jak najpożyteczniej. Spacerując po plaży, spotkał trzech rybaków naprawiających sieci. Łamaną angielszczyzną wyjaśnili mu, jak zostali nawróceni przed wiekami przez misjonarzy.
– My być chrześcijanie – powiedzieli mu, wskazując na siebie z dumą.
Biskup był poruszony. Gdy zapytał, czy umieją modlitwę Pańską, odpowiedzieli, że nigdy jej nie słyszeli. Biskup był głęboko przejęty: jak mogli nazywać się chrześcijanami, jeśli nie umieli czegoś tak podstawowego, jak „Ojcze nasz"?
– W takim razie co mówicie, gdy się modlicie?
– My podnieść oczy do nieba. My mówić: „My jesteśmy trzej, Ty jesteś Trzej, zmiłuj się nad nami".

(A. de Mello, Śpiew ptaka, Warszawa 1989, s. 91-92)

Ci prości ludzie przyjęli najważniejszą prawdę chrześcijaństwa – jest jeden Bóg w Trzech Osobach: Bóg Ojciec, Syn Boży i Duch Święty. Przez pięć lat katechizacji w szkole podstawowej dowiedziałeś się już o Nim bardzo dużo. Jednak nawet studia teologiczne nie pozwolą ci odkryć całej prawdy o Bogu. Bóg zawsze pozostanie tajemnicą, której nikt nie zgłębi. Św. Augustyn – wielki doktor Kościoła, zamierzał napisać dzieło o Trójcy Świętej:

Pewnego dnia szedł brzegiem morza i głęboko rozmyślał o Boskiej tajemnicy. Nagle zobaczył małego chłopca, który w muszli przenosił wodę z morza i wlewał ją do wygrzebanego przez siebie dołka.
– Czy przypadkiem nie chcesz przelać morza do tego dołka?
– Prędzej ja w tym małym dołku zmieszczę całe morze, niż ty w swoim małym rozumie pojmiesz tajemnicę Boga – odpowiedział chłopiec.

(Promyk Jutrzenki, 6/96)

Uroczystość Trójcy Świętej, którą obchodzimy w niedzielę po Zesłaniu Ducha Świętego, przypomina nam, że Bóg pozostanie dla człowieka tajemnicą. Tego dnia kapłan modli się:

Trójca Święta – El Greco

Boże Ojcze, Ty zesłałeś na świat swojego Syna, Słowo Prawdy, i Ducha Uświęciciela, aby objawić ludziom tajemnicę Bożego życia; spraw, abyśmy wyznając prawdziwą wiarę, uznawali wieczną chwałę Trójcy i uwielbiali jedność osób Bożych w potędze ich działania. Przez naszego Pana, Jezusa Chrystusa, Twojego Syna, który z Tobą żyje i króluje w jedności Ducha Świętego, Bóg przez wszystkie wieki wieków.

(kolekta z uroczystości Trójcy Świętej)

Cały Nowy Testament obfituje w teksty przekazujące prawdę o Trójcy Świętej. W czasie chrztu w Jordanie Bóg nazwał Jezusa swoim Synem: „Tyś jest mój Syn umiłowany, w Tobie mam upodobanie" (Mk 1,11).

O Bogu, swoim Ojcu, mówił wyraźnie Pan Jezus, nazywając Go „Abba", czyli Ojcem:

> „W owym czasie Jezus przemówił tymi słowami: «Wysławiam Cię, Ojcze, Panie nieba i ziemi, że zakryłeś te rzeczy przed mądrymi i roztropnymi, a objawiłeś je prostaczkom. Tak, Ojcze, gdyż takie było Twoje upodobanie. Wszystko przekazał Mi Ojciec mój. Nikt też nie zna Syna, tylko Ojciec, ani Ojca nikt nie zna, tylko Syn i ten, komu Syn zechce objawić".
>
> (Mt 11,25-27)
>
> „Ja zaś będę prosił Ojca, a innego Pocieszyciela da wam, aby z wami był na zawsze – Ducha Prawdy, którego świat przyjąć nie może, ponieważ Go nie widzi ani nie zna. Ale wy Go znacie, ponieważ u was przebywa i w was będzie".
>
> (J 14,16-17)

Jezus Chrystus żyje i działa w jedności z Ojcem. Razem posyłają Ducha Świętego.

W czasie każdej Mszy św. zwracamy się w modlitwach do Boga Ojca, Jemu składamy ofiary. Czynimy to przez Chrystusa, z Chrystusem i w Chrystusie.

Duch Święty jednoczy nas w wierze i miłości, oświeca nasze umysły, umacnia do przyjęcia słowa Bożego. Jego mocą dokonuje się podczas Eucharystii cudowna przemiana chleba i wina w Ciało i Krew zmartwychwstałego Jezusa oraz nasze zjednoczenie z Nim w miłości.

Pomyśl:

- Do czego wzywa cię Bóg, objawiając tajemnicę swego życia, opartego na miłości, jedności i prawdzie?

  Uwielbiaj Boga za to, że od chwili chrztu włączył cię w tajemnicę Trójcy Świętej, i proś Go, aby pomógł ci w przyjęciu tej prawdy.

Pieśń:

Ojcze, chwała Tobie, swe życie
składam Tobie,
kocham Ciebie.
Jezu, chwała Tobie, swe życie składam Tobie,
kocham Ciebie.
Duchu, chwała Tobie, swe życie
składam Tobie,
kocham Ciebie.
Trójco, chwała Tobie, swe życie
składam Tobie,
kocham Ciebie.

Zadanie:

1. Napisz, w jaki sposób możesz się przyczynić do budowania międzyludzkiej jedności i miłości.
2. Napisz, dlaczego czyniąc znak krzyża mówimy jednocześnie: „W imię Ojca i Syna, i Ducha Świętego".

47. Liturgia uroczystości Najświętszego Ciała i Krwi Chrystusa

„Czteroletni Natanael jest jednym z siedmiorga dzieci Pascala Pingault, założyciela fundacji wspólnoty Chleb Życia, której powołaniem jest życie eucharystyczne w adoracji wystawionego nieustannie Najświętszego Sakramentu oraz służba biednym dzieciom. «Podczas Wigilii Paschalnej przeżywaliśmy dramat dwóch dorosłych ze wspólnoty – pisze Pascal. – Byłem w pierwszym rzędzie, a obok mnie znajdowała się pewna niewierząca – siostra jednego z ochrzczonych. Mój syn był razem z mamą i bez przerwy do niej mówił: CHCĘ DOSTAĆ CIAŁO JEZUSA! Nie wiedząc już, co odpowiedzieć, przysłała go do mnie. Dzieciak przyszedł po poszukiwaniach w całym kościele. Znowu powtarzał tę samą prośbę, a w końcu powiedział: «Tato, idź, poproś księdza, żebym dostał Ciało Jezusa!» Z szacunku i posłuszeństwa wobec tego, co głosi Kościół, powiedziałem do czteroletniego Natanaela: «Słuchaj, ja nie mogę ci dać Ciała Jezusa, ksiądz nie chce». Ale wewnątrz coś kazało mi dostrzec to pragnienie Chrystusa zmartwychwstałego. I ponieważ dzieciak ciągle nalegał, nie wytrzymałem i w czasie komunijnej procesji powiedziałem: «No dobrze, idziemy!». Wszedłem przed wszystkich przystępujących do Komunii i powiedziałem do księdza: «Co zrobić z tym dzieciakiem?» Kapłan widział i słyszał wszystko, co się działo w czasie Mszy. Zarumienił się i rzekł: «Damy mu!» Mój syn przyjął więc po raz pierwszy Komunię i obydwaj wróciliśmy na swoje miejsce z Ciałem Chrystusa zmartwychwstałego. Przeżyłem jedną z «najmocniejszych» chwil mojego ojcowskiego życia, a nawet, powiedziałbym, mojego życia dziecka Bożego: wziąłem syna na kolana i czułem jego wewnętrzne rozradowanie. W wybuchach radości, którą i ja z nim autentycznie przeżywałem, bez przerwy powtarzał: «Dostałem Ciało Jezusa... Dostałem Ciało Jezusa» i śmiał się. I w tym momencie owa niewierząca osoba wybuchnęła płaczem! Nie wiem, co się stało, ale być może przez życie wiary tego dziecka ujrzała, czym jest Ciało Chrystusa".

(Pascal Pingault, w: List 6/94)

Pieśni:

Idzie mój Pan, idzie mój Pan,
On teraz biegnie, by spotkać mnie.
Mija góry, łąki, lasy, by komunii stał się cud.
On chce chlebem nas nakarmić,
by nasycić życia głód.

* * *

Przybądźcie tu z najdalszych stron, gromady
nękanych głodem i pragnieniem serc.
Odrzućcie smutek, niech nastanie radość:
Bóg w nasze ręce złożył Ciało swe.

Weselnym winem dziś się woda staje.
Na górach Chrystus Pan rozmnaża chleb.
Już winny krzew obfity owoc daje.
Bóg w nasze ręce złożył Ciało swe.

Otwarte, jak otwarta boku rana,
miłości pełne, co nie kończy się,
jest Słowo Ciałem i pokarmem dla nas:
Bóg w nasze ręce złożył Ciało swe.

W czwartek po uroczystości Najświętszej Trójcy Kościół celebruje uroczystość Ciała i Krwi Pańskiej, zwaną też świętem Bożego Ciała.

Jej charakterystyczną cechą jest procesja. Idziemy w niej za Jezusem eucharystycznym, niesionym w monstrancji po ulicach i drogach. Śpiewane są fragmenty czterech Ewangelii, które pozwalają zrozumieć, czym jest Eucharystia.

Czy kiedykolwiek zastanawiałeś się nad tym, po co przystępujesz do Komunii świętej? Czym jest dla ciebie ten biały Chleb, który przyjmujesz?

Pan Jezus zapowiedział:

„Kto spożywa moje Ciało i pije moją Krew, ma życie wieczne, a Ja go wskrzeszę w dniu ostatecznym. Ciało moje jest prawdziwym pokarmem, a Krew moja jest prawdziwym napojem".

(J 6,54-55)

„Eucharystia jest to spotkanie z moim Panem, Jezusem Chrystusem, który mnie tak bardzo, nieskończenie kocha takiego, jaki jestem, i takiego, jaki do Niego przychodzę, że oddaje mi siebie – pisze Dominik. – On, który jest Miłością, do którego należy niebo i ziemia, Stworzyciel i Zbawiciel świata, zniża się do mnie i w kawałeczku przemienionego chleba oddaje mi siebie całego. Bóg mój jedyny, którego nic nie może objąć, mieści się cały w moim sercu".

(Fragment listu, z: List 6/94)

Życzę ci, abyś po każdym przyjęciu Ciała Chrystusa był tak szczęśliwy, jak czteroletni Natanael Pingault, i mógł z czułością szeptać Jezusowi modlitwę napisaną przez Wojciecha Bąka:

Niechaj Cię przyjmę, aby żadna ściana –
Ni tchnienie między nami już nie stało –
Oto Krew Twoja w mojej krwi rozlana
I Ciałem Twoim żyje moje ciało!
Tyś nie jest mną – a jestem pełny Ciebie,
Jak bym nie sobą był – lecz Twym naczyniem –
I słyszę: głos Twój dźwięczy w moim śpiewie –
I czuję: oddech Twój z płuc moich płynie!
Nie ma mnie. Jesteś tylko Ty. Jam jest narzędziem
I ślepo się poddałem – Tobą jestem!
I coraz więcej Ciebie – każdym gestem
Zakreślam Twoją wolę – nią dojrzewam
Ty, któryś był i jest, i będziesz!

Zadanie:

1. Opisz, jak przeżyłeś procesję Bożego Ciała.
2. Ułóż modlitwę dziękczynną, którą będziesz się modlić po przyjęciu Ciała Chrystusa.
3. Przeczytaj fragment zamieszczonego wyżej listu i zastanów się, jak przeżywasz swoje spotkanie z Jezusem w Eucharystii.

48. Liturgia uroczystości Najświętszego Serca Pana Jezusa

Nicky Cruz w Berlinie

Berlin, rok 1982. W obecności 80 000 ludzi zebranych na stadionie olimpijskim Nicky Cruz opowiadał o swym życiu.
– Miałem osiem lat, kiedy moja matka wyrzekła się mnie. Powiedziała mi, że jestem synem diabła i że mnie nie kocha. Sprawiło mi to wielki ból. Postanowiłem sobie wtedy: „Nie będę już nigdy więcej kochał ani płakał". Wzrastałem w Nowym Jorku. Z czasem zostałem przywódcą młodocianej bandy Mau-Mau. Strzelaliśmy do ludzi z dachów, walczyliśmy z innymi bandami i byliśmy ciągle zamykani przez policję. Moja banda – liczyliśmy około trzystu ludzi – była postrachem całego Nowego Jorku. Wszyscy czuli przede mną respekt, ponieważ byłem nieustraszony i okrutny wobec wrogów.
Pewnego dnia zdarzyło się coś, czego nigdy nie zapomnę. Zabrałem swoją bandę do dyskoteki. Tańczyłem właśnie z moją przyjaciółką, gdy drzwi się otworzyły i wszedł Dawid Wilkerson. Dawid był wiejskim księdzem, który czasem głosił w naszej dzielnicy uliczne kazania. Nie mogłem go ścierpieć. Kiedy go zobaczyłem, opanowała mnie złość. Czego tu chce, u licha? Nie ma tu czego szukać. Podszedłem do niego i uderzyłem go w twarz: – Zmiataj stąd, kaznodziejo, jeśli ci życie miłe! – krzyknąłem do niego.
Dawid odpowiedział: – Dobrze, już idę. Chciałem ci tylko jedno powiedzieć: Nicky, Jezus cię kocha! Jezus cię kocha! I poszedł. Przez dwa tygodnie prześladowały mnie te słowa „Jezus cię kocha!" Kiedy usłyszałem, że Dawid ma mówić do młodzieży, wsadziłem pistolet do kieszeni i poszedłem na spotkanie z nim. Dawid mówił rzeczy, których nigdy przedtem nie słyszałem. Mówił, że Jezus cierpiał za nas, gdy dostał się w ręce swych wrogów. Wiedziałem dokładnie, co znaczy dostać się w ręce wrogów. Dawid opowiadał, jak wrogowie Jezusa obchodzili się z Nim. Że okrutnie Go bili, opluli i ukrzyżowali. Zdenerwowałem się. Pomyślałem: gdybym był przy tym z moją Mau-Mau, nigdy by się to nie stało. Szybko byśmy Go z tego wyciągnęli. Dawid jednak powiedział, że Jezus chciał cierpieć, aby odkupić nasze grzechy. Czułem się jak rażony piorunem. Czy to mogło być prawdą?
Jak Jezus mógł mnie tak ukochać? Ale już wtedy wiedziałem: kto jest gotowy tak wiele cierpieć, ten musi rzeczywiście kochać.
Zacząłem więc rozmawiać z Jezusem. „Jezu, czy Ty mnie kochasz? Czy Ty mnie rzeczywiście kochasz takiego, jakim jestem? Och, Jezu, jeżeli Ty mnie rzeczywiście kochasz, ja Ciebie też będę kochał. Ofiaruję Ci całe me życie!" Ledwie to powiedziałem, piekło goryczy i nienawiści zniknęło z mego serca. Byłem wolny, wolny jak ptak na błękitnym niebie.

(P. Lefévre, Jak zmienić swe życie, Poznań 1993, s. 152-154)

Miłość Jezusa daje poczucie wielkiego szczęścia i wolności. Jeśli zaprosisz Go do swojego życia, On nauczy cię, jak kochać miłością prostą, bezinteresowną i przebaczającą. Kiedy ci jest bardzo źle i wydaje ci się, że nikt cię nie kocha, a wszystkie trudności w szkole czy w domu wyciskają z oczu łzy, wtedy skorzystaj z zaproszenia twojego najlepszego Przyjaciela, który mówi:

„Przyjdźcie do Mnie wszyscy, którzy utrudzeni i obciążeni jesteście, a Ja was pokrzepię. Weźcie moje jarzmo na siebie i uczcie się ode Mnie, bo jestem cichy i pokorny sercem, a znajdziecie ukojenie dla dusz waszych”.

(Mt 11,28-29)

Pieśń:

Jezu, ufam Tobie od najmłodszych lat.
Jezu, ufam Tobie, choćby zwątpił świat.
Strzeż mnie, dobry Jezu, jak własności swej
i w opiece czułej duszę moją miej.

W uroczystość Najświętszego Serca Pana Jezusa dziękujemy Bogu słowami modlitwy:

Boże, Ty w Sercu Twojego Syna, zranionym naszymi grzechami, dajesz nam niewyczerpane skarby miłości, spraw, abyśmy składając Mu hołd naszego oddania, wypełniali również obowiązek godnego zadośćuczynienia. Przez naszego Pana, Jezusa Chrystusa, Twojego Syna, który z Tobą żyje i króluje w jedności Ducha Świętego, Bóg przez wszystkie wieki wieków.

Pan Jezus kocha cię, ale też pragnie, aby twoje serce było dobre, pokorne, skromne i otwarte na bliźniego.

Pomyśl:

- Jak odpowiadasz Panu Jezusowi na Jego miłość?
- Jak często modlisz się do Niego?
- Jak przeżywasz spotkanie z Panem podczas Eucharystii?
- Czy byłeś w niedzielę na Mszy św.?
- Kiedy ostatnio obdarowałeś bezinteresowną miłością drugiego człowieka?

Zadanie:

1. Opisz dowolną sytuację, kiedy bezinteresownie pomogłeś rodzicom, rodzeństwu, kolegom i innym ludziom.
2. Narysuj serce i wpisz w nie wartości, które czynią Twoje serce podobnym do Serca Pana Jezusa.
3. Na następną katechezę dziewczynki przygotują informacje o postaci świętego Piotra, chłopcy – o postaci świętego Pawła.

49. Liturgia uroczystości świętych Apostołów Piotra i Pawła

> „Dla mnie bowiem żyć – to Chrystus, a umrzeć – to zysk".
>
> (św. Paweł)

Bóg w swej miłości nieustannie posyła do nas ludzi, którzy swoim życiem pokazują nam, co znaczy żyć Ewangelią na co dzień. 29 czerwca Kościół oddaje cześć dwóm z nich: św. Piotrowi i Pawłowi. Za ich wstawiennictwem prosi o pomoc w wypełnianiu prawa Bożego w codziennym życiu. Obaj są wspaniali, mimo że ich życie nie było pozbawione upadków. Ostatecznie oddali je bez reszty na służbę Chrystusowi. Szymona, syna Jony, Jezus nazwał Piotrem – Skałą, choć ten w godzinie próby wyparł się Go. Jezus mu przebaczył i ustanowił go widzialną głową Kościoła. Piotr oddał życie za Ewangelię.

Św. Piotr – Bartolomeo Vivarini

Św. Paweł – Bartolomeo Vivarini

Szaweł – do pewnego czasu prześladowca chrześcijan, faryzeusz, wróg Pana Jezusa i Jego nauki, nagle doznał łaski: zmartwychwstały Jezus stanął na Jego drodze, przemówił do niego i wezwał do wiary w siebie. Szaweł nawrócił się, przyjął chrzest i gorliwie głosił Ewangelię Chrystusa. Już jako Paweł odwiedził wiele miejscowości pogańskich, w których przekonywał, że ukrzyżowany Jezus zmartwychwstał i jest Synem Bożym. Zakochany w Chrystusie, głosił Jego Ewangelię z wytrwałością mimo więzień i prześladowań, aż do męczeńskiej śmierci.

> „W tym także czasie Herod zaczął prześladować niektórych członków Kościoła. Ściął mieczem Jakuba, brata Jana, a gdy spostrzegł, że to spodobało się Żydom, uwięził nadto Piotra.
> A były to dni Przaśników. Kiedy go pojmał, osadził w więzieniu i oddał pod straż czterech oddziałów, po czterech żołnierzy każdy, zamierzając po święcie Paschy wydać go ludowi.
> Strzeżono więc Piotra w więzieniu, a Kościół modlił się za niego nieustannie do Boga. W nocy, po której Herod miał go wydać, Piotr, skuty podwójnym łańcuchem, spał między dwoma żołnierzami, a strażnicy przed bramą strzegli więzienia. Wtem zjawił się anioł Pański i światłość zajaśniała w celi. Trąceniem w bok obudził Piotra i powiedział: «Wstań szybko!» Równocześnie z rąk [Piotra] opadły kajdany. «Przepasz się i włóż sandały!» – powiedział mu anioł. A gdy to zrobił, rzekł do niego: «Narzuć płaszcz i chodź za mną!» Wyszedł więc i szedł za nim, ale nie wiedział, czy to, co czyni anioł, jest rzeczywistością; zdawało mu się, że to widzenie. Minęli pierwszą i drugą straż i doszli do żelaznej bramy, prowadzącej do miasta. Ta otwarła się sama przed nimi. Wyszli więc, przeszli jedną ulicę i natychmiast anioł odstąpił od niego. Wtedy Piotr przyszedł do siebie i rzekł: «Teraz wiem na pewno, że Pan posłał swego anioła i wyrwał mnie z ręki Heroda i z tego wszystkiego, czego oczekiwali Żydzi»".
>
> (Dz 12,1-11)

„Krew moja już ma być wylana na ofiarę, a chwila mojej rozłąki nadeszła. W dobrych zawodach wystąpiłem, bieg ukończyłem, wiary ustrzegłem. Na ostatek odłożono dla mnie wieniec sprawiedliwości, który mi w owym dniu odda Pan, sprawiedliwy Sędzia, a nie tylko mnie, ale i wszystkim, którzy umiłowali pojawienie się Jego. Natomiast Pan stanął przy mnie i wzmocnił mię, żeby się przeze mnie dopełniło głoszenie [Ewangelii] i żeby wszystkie narody [je] posłyszały; wyrwany też zostałem z paszczy lwa. Wyrwie mię Pan od wszelkiego złego czynu i wybawi mię, przyjmując do swego królestwa niebieskiego; Jemu chwała na wieki wieków. Amen".

(2 Tm 4,6-8.17-18)

Boże, Ty nam dałeś dzień świętej radości w uroczystość Apostołów Piotra i Pawła, spraw, aby Twój Kościół wiernie zachowywał naukę apostołów, od których otrzymał zaczątek wiary. Przez naszego Pana, Jezusa Chrystusa, Twojego Syna, który z Tobą żyje i króluje w jedności Ducha Świętego, Bóg przez wszystkie wieki wieków.

(kolekta z uroczystości św. Apostołów Piotra i Pawła)

Pomyśl:

- Jakim jesteś uczniem Chrystusa?
- Czy możesz nazwać siebie apostołem?
- Co robisz, aby dzięki tobie inni pokochali Jezusa?
- Jak często modlisz się w intencji Ojca świętego, następcy św. Piotra?
- Czy pamiętasz w swojej modlitwie o biskupach i prezbiterach (księżach)?

Pieśń:

Gdy uczniów swych posyłał Pan,
by nieśli wieść radosną,
żegnając ich dał swoją moc
i mówił tak z miłością:
Nie warto na drogę tę
sandałów i płaszcza zabierać.
Nie trzeba nam srebra brać,
o dach nad głową zabiegać.
Nowinę tę głosili więc
po czterech stronach świata,
bogaci tak, nie mając nic,
bo miłość jest bogata.
Gdy ukończyli dzieło swe,
w ostatnią drogę ruszali.
Patrzyli w niebo, na Ojca dom
i tak z ufnością wołali:
Nie warto na drogę tę...

Zadanie:

1. Napisz, w jaki sposób powinieneś wypełniać nakaz Pana Jezusa „Idźcie i nauczajcie..."
2. Wypisz miejsca podróży misyjnych św. Piotra lub św. Pawła.

50. Liturgia uroczystości Wniebowzięcia Najświętszej Maryi Panny

Radujmy się wszyscy w Panu, obchodząc uroczystość ku czci Najświętszej Maryi Panny. Z Jej wniebowzięcia radują się aniołowie i wychwalają Syna Bożego.

Bóg umiłował Maryję. Wybrał Ją na Matkę swojego Syna i uwolnił od zmazy grzechu pierworodnego. Był stale obecny w Jej życiu, a na koniec nie pozwolił Jej zaznać śmierci, ale wziął Ją do nieba.

„...Niepokalana Dziewica, zachowana wolną od wszelkiej skazy winy pierworodnej, dopełniwszy biegu życia ziemskiego, z ciałem i duszą wzięta została do chwały niebieskiej i wywyższona przez Pana jako Królowa wszystkiego, aby bardziej upodobniła się do Syna swego, Pana panujących oraz Zwycięzcy grzechu i śmierci». Wniebowzięcie Maryi jest szczególnym uczestniczeniem w zmartwychwstaniu Jej Syna i uprzedzeniem zmartwychwstania innych chrześcijan”.

(KKK 966)

Wniebowzięcie – Tycjan

Św. Jan Damasceński tak tłumaczy wniebowzięcie Najświętszej Maryi Panny:

„Wypadało, aby Ta, która wydając na świat Zbawiciela zachowała nieskalane dziewictwo, także po śmierci pozostała nietknięta skażeniem ciała. Wypadało, aby Ta, która w swym łonie nosiła Stwórcę jako Dziecię, została przyjęta do Boskich przybytków. Wypadało, by Oblubienica Ojca zamieszkała w niebieskich komnatach. Wypadało, aby Matka, która patrzyła na Syna swego przybitego do krzyża i której serce przeszył miecz boleści, oszczędzony Jej w chwili wydania na świat Zbawiciela, oglądała Go królującego wraz z Ojcem w niebie. Wypadało, aby Matka i Służebnica Boga była czczona przez wszystkie stworzenia”.

(Brewiarz, t. IV, s.1070)

Co roku 15 sierpnia Kościół katolicki oddaje cześć Królowej nieba i ziemi. Podczas Eucharystii kapłan wypowiada następującą modlitwę:

Dzisiaj została wzięta do nieba Bogurodzica Dziewica. Ona pierwsza osiągnęła zbawienie i stała się wizerunkiem Kościoła w chwale, a dla pielgrzymującego ludu źródłem pociechy i znakiem nadziei. Nie chciałeś bowiem, aby skażenia w grobie doznała Dziewica, która wydała na świat Twojego Syna, Dawcę wszelkiego życia.

(prefacja o wniebowzięciu Najświętszej Maryi Panny)

W święto Wniebowzięcia Najświętszej Maryi Panny wierni przynoszą do kościoła bukiety z kwiatów, zbóż i owoców, które są błogosławione. Od tego obrzędu bierze początek druga nazwa święta: Matki Bożej Zielnej. Kościół dziękuje wówczas Bogu za dary ziemi:

Panie, nasz Boże, Ty sprawiasz, że na ziemi rosną trawy, zioła i zboża na pożywienie i lekarstwo dla ludzi i zwierząt. Od Ciebie pochodzi obfitość wody i promieni słońca, aby wszystko, co się zieleni i rozkwita, owocowało, gdy nadejdzie czas zbiorów. Prosimy Cię, pobłogosław przynoszone do Ciebie pierwociny ziemi tego roku, młode pędy zbóż, trawy, zioła i kwiaty. Zachowaj je od suszy, gradu, powodzi i wszelkiej szkody, aby wzrastały, radowały oczy, przynosiły jak najobfitszy plon i mogły służyć zdrowiu ludzi i zwierząt.
Gdy będziemy schodzić z tego świata, niech nas, niosących pełne naręcza dobrych czynów, przedstawi Tobie Najświętsza Dziewica Wniebowzięta, najdoskonalszy owoc tej ziemi, abyśmy zasłużyli na przyjęcie do Twego domu. Przez Chrystusa, Pana naszego.

Pomyśl:
- Jak się przygotujesz do święta Wniebowzięcia Najświętszej Maryi Panny?
- Za co powinieneś dziękować tego dnia Matce Bożej?
- Za co powinieneś dziękować Panu Bogu?

Zadanie:
1. Przygotuj bukiet z kwiatów i owoców, aby przynieść go do kościoła.
2. Podczas wieczornej modlitwy odmów czwartą tajemnicę części chwalebnej różańca (wniebowzięcie Najświętszej Maryi Panny).

51. Uroczystość Najświętszej Maryi Panny Częstochowskiej

Władysław, książę opolski, wybudował na Jasnej Górze klasztor dla Matki Bożej i oddał go pod opiekę ojców paulinów. Wkrótce obraz, przywieziony z Rusi, zasłynął cudami. Cześć jego wzrosła szczególnie podczas najazdu szwedzkiego. W 1717 r. obraz ten został uroczyście ukoronowany, a Jasna Góra stała się głównym ośrodkiem kultu Matki Bożej w Polsce. Wdzięczni Maryi za Jej stałą opiekę, ludzie pielgrzymują co roku na Jasną Górę, chcąc wyrazić swoją miłość i wdzięczność. Są różni: młodzi i starzy, chorzy i zdrowi, biedni i bogaci. Wszyscy idą, aby wypraszać potrzebne łaski, a swoim pielgrzymim trudem potwierdzają, jak jest im bliska.

Świadectwo 1

Jest 12 sierpnia, zmierzamy do ostatniej miejscowości „noclegowej" przed Częstochową. Wszyscy odczuwają zmęczenie. Wzięłam zbyt ciasne buty i teraz, po tygodniu pielgrzymowania, moje nogi są opuchnięte. Jest bardzo duszno. Tak chciałabym Ci, Maryjo, śpiewać najpiękniejsze pieśni, ale w gardle sucho. Droga kamienista. Modlimy się o deszcz. Modlitwa nasza została wysłuchana, spadł deszcz, potem także, niestety, posypał się grad. Nagle zrobiło się bardzo zimno. Byłam przemoczona. Gdy dotarliśmy do Mstowa, nasze rozłożone namioty zatopiła woda. Tak pragnęłam zmienić ubranie. Okazało się jednak, że wszystko w plecakach jest przemoczone.

Usłyszałam głos wzywający na Mszę św. Mimo że wszyscy byli przemoczeni i zmarznięci, śpiewem i modlitwą chwaliliśmy Boga. Po Mszy św. deszcz ustał. Cała grupa zebrała się na pożegnalny wieczór. Nigdy wcześniej nie doświadczyłam tyle miłości, radości i pokoju, który przyniosła nam Maryja, prowadząc nas w tym trudzie do swego sanktuarium.

Z pielgrzymką

z pielgrzymami szła
oczy dłonią przed pyłem i słońcem
osłaniając
wieczorami
obolałe nogi mocząc w podarowanej wodzie
doszli
a tu Jej obraz w wielkim ołtarzu
w koralach bursztynach perłach
brylantach
sama siebie nie poznała
przecież ja ze wsi
z łagodności pól cierpliwości drzew
z odwagi wiatru wytrwałości wody
z dobroci ziemi i słońca
gdzież mi do królewskiego płaszcza
i korony
ja tylko matka
ale widocznie Syn
tak chciał
i oni
Polacy
prosili
proszą

(Wacław Oszajca, w: T. Śmiech, Z. Trzaskowski, Matka, Kielce 1995, s. 218)

Świadectwo 2

Milknie śpiew, klękamy witając częstochowską ziemię. Z głośników dobiega głos przewodnika przedstawiającego grupę. Wszyscy w ciszy i w skupieniu starają się modlić, wielu płacze. Jest to płacz radości, za chwilę przecież przejdziemy przed cudownym obrazem, za chwilę spojrzymy na twarz naszej Matki, do której tyle pielgrzymowaliśmy. Będzie to krótka chwila, ale jakże ważna. Ileż nadziei, próśb, podziękowań chcemy Jej powiedzieć! W tej krótkiej chwili chcę Ci, Maryjo, dziękować za ludzi, którzy pomogli mi znaleźć się na pielgrzymim szlaku, za słońce, które opalało moją twarz, za wiatr, który mnie ochładzał, za każdego, kto podał mi swoją dłoń, za wszystko, za wszystko. Tak wiele chciałabym Ci powiedzieć, ale jakoś słów brakuje. Dziękuję Ci po prostu za to, że jesteś moją Matką.

(Być sobą, 8/95)

Całe nasze życie jest pielgrzymowaniem. Każdy może nazwać siebie „homo viator" – wędrowiec, pielgrzym zdążający do domu Ojca, jak naród wybrany do ziemi obiecanej.

Tego pielgrzymowania uczy nas Maryja, która przez całe życie towarzyszyła Jezusowi. Dana nam za Matkę, wspiera nas w drodze do domu Ojca. To Ona ukazuje nam drogę i uprasza potrzebne łaski. 26 sierpnia wraz z całym Kościołem pragniemy Jej dziękować i prosić o pomoc w wierze i miłości.

Na tę uroczystość przybywają co roku tysiące pielgrzymów ze wszystkich zakątków Polski. MARYJA CZEKA TAKŻE NA CIEBIE!

Pomyśl:

- W jaki sposób podziękujesz Matce Bożej za Jej obecność w narodzie polskim, w twojej rodzinie?
- Jak odpowiesz na zaproszenie, aby pielgrzymować do tronu Pani Jasnogórskiej?

Wszechmogący i miłosierny Boże, Ty dałeś narodowi polskiemu w Najświętszej Maryi Pannie przedziwną pomoc i obronę, a Jej święty obraz jasnogórski wsławiłeś niezwykłą czcią wiernych, spraw łaskawie, abyśmy na ziemi z zapałem walczyli w obronie wiary, a w niebie wysławiali Twoje zwycięstwo.

(kolekta z uroczystości Matki Bożej Częstochowskiej)

Pieśń:

Jest zakątek na tej ziemi, gdzie powracać każdy chce,
gdzie króluje Jej oblicze, na nim cięte rysy dwie.
Wzrok ma smutny, zatroskany, jakby chciała prosić cię,
byś w matczyną Jej opiekę oddał się.
Madonno, Czarna Madonno,
jak dobrze Twym dzieckiem być.
O pozwól, Czarna Madonno,
w ramiona Twoje się skryć.
W Jej ramionach znajdziesz spokój
i uchronisz się od zła,
bo dla wszystkich swoich dzieci Ona serce czułe ma
i opieką cię otoczy, gdy Jej serce oddasz swe,
gdy powtórzysz Jej z radością słowa te:
Madonno, Czarna Madonno...
Dziś, gdy wokół nas niepokój, gdzie się człowiek schronić ma?
Gdzie ma pójść, jak nie do Matki, która ukojenia da?
Więc błagamy, o Madonno, skieruj wzrok na dzieci swe
i wysłuchaj, jak śpiewamy, prosząc Cię:
Madonno, Czarna Madonno...

Z dawna Polski Tyś Królową, Maryjo,
Ty za nami przemów słowo, Maryjo!
Ociemniałym podaj rękę,
niewytrwałym skracaj mękę,
Twe królestwo weź w porękę, Maryjo!

Gdyś pod krzyżem Syna stała, Maryjo,
tyleś, Matko, wycierpiała, Maryjo!
Przez swego Syna konanie
uproś sercom zmartwychwstanie,
w ojców wierze daj wytrwanie, Maryjo!

Z dawna Polski Tyś Królową, Maryjo,
Ty za nami przemów słowo, Maryjo!
Weź w opiekę naród cały,
który żyje dla Twej chwały,
niech rozwija się wspaniały, Maryjo!

VIII
KATECHEZY DODATKOWE

„Kochaj Boga – i czyń, co chcesz”.
(św. Augustyn)

52. Rok kościelny, czyli Pański – przypomnieniem i uobecnieniem wydarzeń historii zbawienia

Rytm pracy ucznia wyznaczają semestry, ferie i wakacje. Ten cykl roku szkolnego powtarza się. Również życie w przyrodzie wpisane jest w ramy roku. To rok kalendarzowy. Wyznaczają go cztery pory, w których następują po sobie kolejne stadia wegetacji: budzenie się do życia, dojrzewanie, owocowanie, obumieranie.

Człowiek nie mieści się w cyklu życia i śmierci właściwym dla przyrody. Tajemnica ludzkiego życia jest głębsza, ponieważ łączy się z tajemnicą Boga. Obrazuje ją cykl roku liturgicznego (kościelnego), który, przeżywany ciągle na nowo, przypomina i uobecnia to wszystko, co Bóg uczynił dla naszego zbawienia.

***Adwent** – historyczne oczekiwanie ludzkości na przyjście Zbawiciela. Uświadamiamy sobie, jak bardzo potrzebny jest nam Zbawiciel, bo jesteśmy słabi, ulegamy złu, popełniamy grzechy i sami nie potrafimy się z nich podźwignąć. Potrzebujemy Bożego wsparcia, aby dobrze przygotować się na spotkanie z Bogiem w wieczności.*

***Boże Narodzenie** – radość pasterzy i Mędrców staje się naszą radością. Zbawiciel przyszedł na ziemię. Dzięki Niemu możemy żyć wiecznie!*

***Okres zwykły** – wraz z Jezusem przeżywamy naszą codzienność, staramy się być podobni do Niego, aby z Nim cieszyć się szczęściem wiecznym.*

***Wielki Post** – pokutujemy za grzechy, uczymy się zapominać o sobie, aby razem z Jezusem lepiej służyć innym.*

***Okres wielkanocny** – świętujemy zwycięstwo Chrystusa nad śmiercią, piekłem i szatanem. Skoro Chrystus zmartwychwstał, my też zmartwychwstaniemy!*

***Okres zwykły** – mocą Ducha Świętego, który w nas mieszka, przemieniamy nasze życie. Z ufnością oczekujemy powtórnego przyjścia Jezusa, Króla Wszechświata i naszego Pana. Chcemy, żeby nas zabrał do swego królestwa w niebie.*

W poszczególnych etapach roku liturgicznego streszcza się i uobecnia cała historia zbawienia. Najważniejsze w tej historii są: męka, śmierć i zmartwychwstanie Chrystusa. Każda Msza św. jest ich uobecnieniem. Jeśli w niedziele i święta uczestniczysz we Mszy św., dokonuje się twoje uświęcenie. Twój życiowy szlak nie jest drogą ku śmierci, ale ku pełni życia w Chrystusie Jezusie. Chrystus przemienia twoją śmierć – czyni z niej bramę wiodącą do życia w Bogu.

Pomyśl:

- Jaki jest twój udział we Mszy św.?
- Czy pamiętasz o niej w każdą niedzielę i święta?

„Nazajutrz, gdy wyszli oni z Betanii, uczuł głód. A widząc z daleka drzewo figowe, okryte liśćmi, podszedł ku niemu zobaczyć, czy nie znajdzie czegoś na nim. Lecz przyszedłszy bliżej, nie znalazł nic prócz liści, gdyż nie był to czas na figi. Wtedy rzekł do drzewa: «Niech nikt nigdy nie je owocu z ciebie!» Słyszeli to Jego uczniowie. Przechodząc rano, ujrzeli drzewo figowe uschłe od korzeni. Wtedy Piotr przypomniał sobie i rzekł do Niego: «Rabbi, patrz, drzewo figowe, któreś przeklął, uschło». Jezus im odpowiedział: «Miejcie wiarę w Boga! Zaprawdę, powiadam wam: Kto powie tej górze: Podnieś się i rzuć się w morze, a nie wątpi w duszy, lecz wierzy, że spełni się to, co mówi, tak mu się stanie»”.

(Mk 11,12-14.20-23)

Zadanie:

Narysuj serię obrazków ilustrujących poszczególne okresy roku liturgicznego.

53. Moja modlitwa różańcowa

Narzędzie pracy

Mały cmentarz w austriackiej miejscowości Eurastfeld. Cmentarz, który tonie dosłownie w kwiatach. Rosną na grobach, obok nich, wspinają się łodygami po murku ogrodzenia. Martwa cisza grobów i kwitnące życie roślin.

Zadziwiająca harmonia śmierci i życia. Na jednym z grobów kwiaty tworzą kształt jakby różańca (!). Starsi mieszkańcy Eurastfeld mówią, że nie bez przyczyny tak się dzieje. Józef Steinlesberger, gospodarz i kowal z tego miasteczka, na łożu śmierci poprosił rodzinę:

– Włóżcie mi do trumny narzędzie pracy, z którym nigdy się nie rozstawałem.

Przyniesiono mu młot, którym pracowite ręce Józefa wykuwały podkowy, lemiesze, bramy... Starzec spojrzał na syna i powiedział:

– Nie to! Włóżcie mi do rąk różaniec, którym pracowałem każdego dnia.

(Z. Trzaskowski, Zdać się na Boga, t. III, s. 174)

Różaniec. Piękna modlitwa wielu pokoleń, powtarzana przez wieki, w której człowiek poleca siebie Bogu i uznając swoją własną grzeszność, prosi Maryję o modlitwę i wstawiennictwo. Odmawiając ją, wpatrujemy się w życie Jezusa i Maryi, układające się w szereg tajemnic. Aby dobrze modlić się na różańcu, trzeba zgłębiać te tajemnice. Dopiero wówczas będziesz mógł cieszyć się z Maryją narodzeniem Jezusa, z Nią cierpieć pod krzyżem, aby później śpiewać radosne „alleluja".

Część I
TAJEMNICE RADOSNE
(odmawia się w poniedziałki i soboty)

1. *Zwiastowanie Maryi*
2. *Nawiedzenie św. Elżbiety*
3. *Narodzenie Pana Jezusa*
4. *Ofiarowanie Pana Jezusa w świątyni*
5. *Znalezienie Pana Jezusa w świątyni*

Część II
TAJEMNICE ŚWIATŁA
(odmawia się w czwartki)

1. *Chrzest Pana Jezusa w Jordanie*
2. *Objawienie się Pana Jezusa na weselu w Kanie Galilejskiej*
3. *Głoszenie królestwa Bożego i wzywanie do nawrócenia*
4. *Przemienienie na górze Tabor*
5. *Ustanowienie Eucharystii*

Część III
TAJEMNICE BOLESNE
(odmawia się we wtorki i piątki)
1. *Modlitwa Pana Jezusa w Ogrójcu*
2. *Biczowanie Pana Jezusa*
3. *Cierniem ukoronowanie*
4. *Dźwiganie krzyża*
5. *Ukrzyżowanie*

Część IV
TAJEMNICE CHWALEBNE
(odmawia się w środy i niedziele)
1. *Zmartwychwstanie Pana Jezusa*
2. *Wniebowstąpienie Pana Jezusa*
3. *Zesłanie Ducha Świętego*
4. *Wniebowzięcie Maryi*
5. *Ukoronowanie Maryi*

Różaniec to bukiet róż, który składamy Matce Bożej. Róża jest symbolem wdzięku i piękna. Nazywamy ją królową kwiatów. Maryja także nazywana jest Królową Różańca Świętego. Czcimy ją pod tym wezwaniem 7 października.

Czy pamiętasz wszystkie tajemnice różańca? Spróbuj je sobie przypomnieć. Proś Matkę Bożą, by modliła się razem z tobą.

Gdy będziesz budować swe życie na fundamencie nieustannej modlitwy różańcowej, ubogacisz je. Matka Boża z miłością wysłuchuje naszych próśb i wstawia się za nami u Syna, dlatego postaraj się jak najczęściej zwracać do Niej słowami: „Módl się za nami grzesznymi teraz i w godzinę śmierci naszej. Amen".

Tajemnice różańcowe

Różne są różańce – kościane, drewniane,
bursztynowe, srebrne, koralowe, szklane,
ale wszystkie krzyżyk mają na początku
i układ paciorków zawsze w pięć dziesiątków,
bo cały różaniec z trzech części się składa:
każda część – pięć Bożych tajemnic posiada.

W części radosnej, w pierwszej tajemnicy
anioł Pański zwiastuje Maryi Dziewicy,
w drugiej – do Elżbiety Maryja przychodzi,
w trzeciej Boże Dziecię w stajence się rodzi,
w czwartej – Symeonowi Matka Je podaje,
w piątej – pośród kapłanów w świątyni zostaje.

W części bolesnej Jezus modli się w Ogrójcu,
całkowicie posłuszny swemu Bogu-Ojcu,
później rózgami zgraja do krwi Go biczuje,
splecionym, ostrym cierniem koronuje.
Dźwiga krzyż Pan Jezus na swoich ramionach,
trzy razy upada i przybity kona...

W części chwalebnej Chrystus tryumfuje:
żywy, zmartwychwstały, do nieba wstępuje.
Na ziemię nam zsyła moc Ducha Świętego,
a Matkę zabiera do Ojca swojego.
Na Królową Świata tam Ją koronuje,
gdzie po wieki wieków Maryja króluje.

Zadania:
1. Dlaczego w jednym z wezwań „Litanii loretańskiej" Maryję nazywamy Różą Duchowną?
2. Postaraj się jak najczęściej uczestniczyć w nabożeństwach różańcowych.
3. Naucz się na pamięć wiersza „Tajemnice różańcowe".

54. Bóg stworzył człowieka mężczyzną i kobietą

Wszyscy lubimy się bawić. Kiedy spotkamy się w gronie przyjaciół, umiemy wymyślać zabawy dające wszystkim radość. Inaczej jednak bawią się dziewczynki, inaczej chłopcy. Dziewczynki bawią się lalkami, chłopcy samochodami. Dziewczynki bawią się „w dom", „w szpital", „w szkołę", chłopcy przemieniają się w Supermana, Batmana, rycerzy, albo grają w gry komputerowe.

Już w dzieciństwie łatwo dostrzec różnice między dziewczynkami i chłopcami nie tylko w wyglądzie zewnętrznym, budowie ciała, ale także w ich zainteresowaniach. Wszyscy ludzie należą do określonej płci.

Chłopiec (mężczyzna) – do płci męskiej, dziewczynka (kobieta) – do żeńskiej. Twoja mama najpierw była dziewczynką i wyrosła na kobietę. Tatuś najpierw był chłopcem i wyrósł na mężczyznę. Bóg wiedział, że na świecie nie mogą żyć sami mężczyźni ani same kobiety. Dlatego, pragnąc szczęścia ludzi, stworzył ich mężczyznami i kobietami, powołał do życia we wspólnocie – rodzinie, w której są mężem i żoną, a następnie ojcem i matką.

„Potem Pan Bóg rzekł: «Nie jest dobrze, aby mężczyzna był sam; uczynię mu zatem odpowiednią dla niego pomoc». Ulepiwszy z gleby wszelkie zwierzęta lądowe i wszelkie ptaki powietrzne, Pan Bóg przyprowadził je do mężczyzny, aby przekonać się, jaką da im nazwę. Każde jednak zwierzę, które określił mężczyzna, otrzymało nazwę «istota żywa». I tak mężczyzna dał nazwy wszelkiemu bydłu, ptakom powietrznym i wszelkiemu zwierzęciu polnemu, ale nie znalazła się pomoc odpowiednia dla mężczyzny.
Wtedy Pan sprawił, że mężczyzna pogrążył się w głębokim śnie, i gdy spał, wyjął jedno z jego żeber, a miejsce to zapełnił ciałem. Po czym Pan Bóg z żebra, które wyjął z mężczyzny, zbudował niewiastę. A gdy ją przyprowadził do mężczyzny, mężczyzna

powiedział: «Ta dopiero jest kością z moich kości i ciałem z mego ciała! Ta będzie się zwała niewiastą, bo ta z mężczyzny została wzięta». Dlatego to mężczyzna opuszcza ojca swego i matkę swoją i łączy się ze swą żoną tak ściśle, że stają się jednym ciałem".

(Rdz 2,18-24)

Pan Bóg powołał kobietę i mężczyznę do różnych zadań. Potrzebują jednak siebie nawzajem. Są szczęśliwi, gdy mogą się wzajemnie dopełniać i pomagać sobie.

Pomyśl:

- Czy umiesz być wdzięczny Bogu za to, że jesteś dziewczynką, chłopcem?
- Jak dziękujesz Bogu za rodziców?

Zadanie:

1. Na podanym wyżej schemacie przyporządkuj cechy charakterystyczne dla danej płci, prowadząc linie od danej cechy do kobiety lub mężczyzny. Zanotuj wniosek.
2. Napisz list do Pana Boga, w którym podziękujesz za to, że stworzył cię dziewczynką lub chłopcem.

55. Jestem odpowiedzialny za siebie

Dziękujemy Ci, Panie, za Twój świat i jego dobro, za władzę nad światem, jaką podzieliłeś się z nami. Daj nam Twojego Ducha, abyśmy umieli panować nad ziemią, troszcząc się o jej przyszłość, i umieli panować nad sobą, by lepiej Ci służyć. Przez Chrystusa Pana naszego.

Rwąca rzeka zabiera ze sobą wszystko, co nie ma korzeni, co nie jest przyczepione do gruntu. Człowiek może poddać się bezmyślnie złym zwyczajom, zachowaniom, ale może też dokonywać wyborów, które pomogą mu wzrastać w mądrości i rozsądnie pokierują jego życiem. Podjęte wówczas decyzje są nasze. Bierzemy za nie odpowiedzialność. Potrafimy odmówić koledze, gdy zaprosi nas na nieodpowiedni film, nie kupimy pornograficznej gazety, nie będziemy słuchać czy opowiadać niestosownych żartów, używać wulgarnych słów. Będziemy ludźmi o czystych sercach, o których Pan Jezus mówi:

„Błogosławieni czystego serca, albowiem oni Boga oglądać będą".

(Mt 5,8)

Człowiek „brudny" w swoich myślach, słowach, czynach, brudzi całe swoje otoczenie. Wprowadza chaos, a ze swego wnętrza – duszy, robi śmietnik. Człowiek czysty jest jak łąka, na której wszystko może pachnieć i kwitnąć.

Dałeś mi, Panie, serce,
aby mogło Ciebie kochać.
Dałeś mi, Panie, duszę
i pragniesz w niej pozostać.

Dałeś mi, Panie, ręce,
by mogły dobrze czynić.
Dałeś mi, Panie, usta,
by mogły Ciebie wielbić.

Dałeś mi, Panie, mądrość,
bym umiał nią rozróżniać,
dobra ze złem nie mylić
i wiernym Tobie zostać.

Pomyśl:

- Jak dbasz o czystość swojego serca?
- Czy umiesz zrezygnować z nieodpowiednich gazet, filmów?
- Jaki jest twój codzienny język?

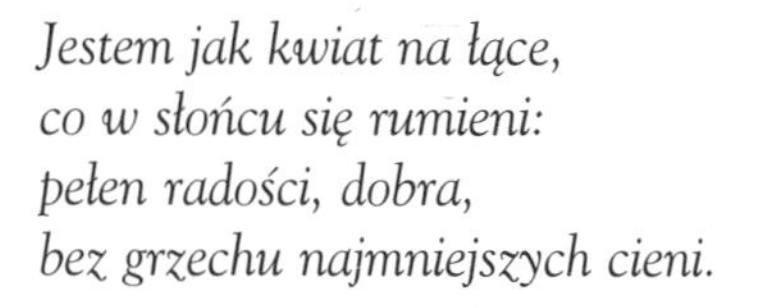

Jestem jak kwiat na łące,
co w słońcu się rumieni:
pełen radości, dobra,
bez grzechu najmniejszych cieni.

Pragnę żyć Tobą zawsze
i wszędzie z Tobą zostać,
mieć Twoją czystość w sobie
i każdej próbie sprostać.

(Ks. T. Śmiech)

„Niechaj mnie chronią niewinność i prawość, bo w Tobie, Panie, pokładam nadzieję”.

(Ps 25,21)

Pieśń:

Oczyść serce me, chcę jak złoto lśnić
i jak czyste srebro.
Oczyść serce me,
chcę czystego złota blaskiem lśnić.

Zstąp, Ogniu, zstąp.
Przyjdź, oczyść serce me.
Pragnę być święty, Tobie oddany, Panie.
Chcę zawsze być święty,
Tobie, mój Mistrzu, na zawsze oddany,
gotów, by służyć Ci.

Oczyść serce me, oczyść swoją Krwią.
Spraw, bym mógł być święty.
Oczyść serce me,
z najbardziej najtajnieszych grzechów
oczyść je.

Zadanie:

1. Wklej do zeszytu zdjęcie dowolnej osoby i napisz obok, co pomaga zachować czystość serca, myśli, słów i czynów.
2. Naucz się wiersza „Dałeś mi, Panie”.

56. Rodzina kolebką życia

Często spotykasz kochających się ludzi. Łatwo poznać, że to miłość, bo często są razem, dużo ze sobą rozmawiają i w widoczny sposób cieszą się sobą. Łączy ich uczucie, które sprawia, że decydują się opuścić wszystkich, by odtąd żyć we dwoje. Kiedy zdecydują się na ślub, stają się małżeństwem, a kiedy „urodzą" dziecko, są pełną rodziną.

Rodzina jest najwłaściwszym miejscem do przekazywania życia. Pod okiem mamy, przy boku ojca dzieci znajdują dom – miłość, poczucie bezpieczeństwa, warunki do rozwoju. Przekazując życie, ojciec i matka spełniają Boży nakaz z Księgi Rodzaju:

„Bądźcie płodni i rozmnażajcie się, abyście zaludnili ziemię".

(Rdz 1,28)

„Bądźcie sobie wzajemnie poddani w bojaźni Chrystusowej".

(Ef 5,21)

Pieśń ślubna

Gdy się łączą ręce dwie w imię Boże,
przed ołtarzem uroczystym w blasku świec,
wtedy zwykła ludzka miłość jest potęgą,
bo z miłością Jego wieczną splata się.

Kiedy łączysz serca dwa w imię swoje
i związujesz między nimi mocną nić,
błogosławisz swoim dzieciom na wędrówkę,
pokazujesz, co to znaczy umieć żyć.

Pójdą odtąd na radości i na smutki,
zawsze razem, przy nim ona, przy niej on.
Twoja łaska szlak im będzie wyznaczała
i obroni od drapieżnych świata szpon.

Teraz idźcie uśmiechnięci w imię Boże,
pamiętajcie dzień dzisiejszy, bo od dziś
wasze ręce będzie trzymał sam Bóg Ojciec,
Jego słowo, Jego prawda, Jego myśl.

Stwarzając ludzi, Bóg dał im zdolność przekazywania życia. Dokonuje się to w akcie miłosnego zjednoczenia mężczyzny i kobiety. Oddając się sobie nawzajem, rodzą nowe życie, które jest owocem ich miłości. Będąc mężczyzną, stajemy się tatą. Będąc kobietą, możemy być mamą. To cudowny dar Boga Ojca – zdolność, którą podzielił się z nami.

Rodzina to najwspanialsze miejsce na świecie,
gdzie wszyscy razem są połączeni,
gdzie dzieci szczęśliwe przy swojej mamie,
miłością ojca są otoczeni.

Tam nasza mama krząta się w kuchni,
zmywa naczynia, pierze, gotuje.
I ojciec po pracy, choć umęczony,
w naszych zabawach nam sekunduje.

Razem robimy długie spacery,
sobą się ciesząc, bawiąc, żartując,
kochajmy Boga, naszego Ojca,
szanując ludzi, siebie miłując.

A gdy w niedzielę drogą do kościoła
podąża razem nasza gromadka,
wszyscy z zazdrością patrzą na mamę,
mamie zazdroszcząc naszego tatka.

Tatko przy mamie wędruje dumny,
urodą mamy wciąż zachwycony,
i my, szczęśliwi, rodziną całą
idziemy, by Bóg w nas był uwielbiony.

(Ks. Tadeusz Śmiech)

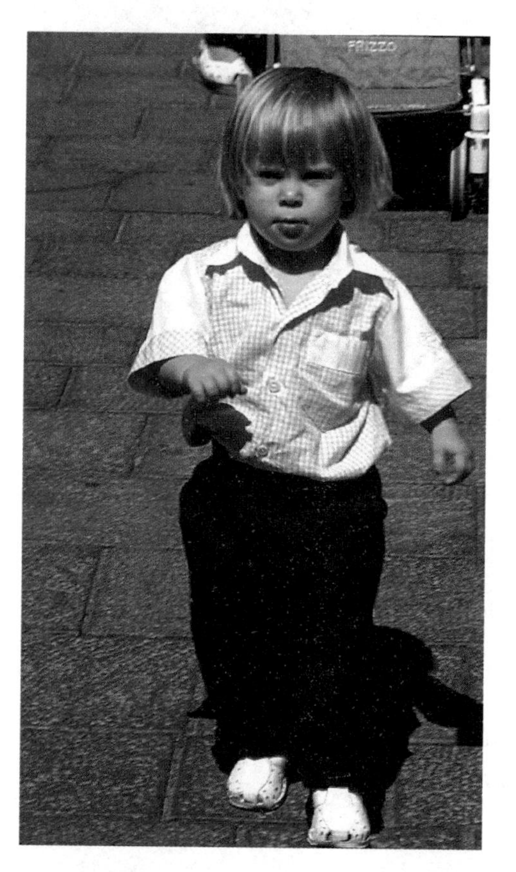

Pomyśl:

- Jak wygląda życie w twojej rodzinie?
- Co robisz, by w twoim domu było miło i radośnie?
- Czy dziękujesz Bogu za swoich rodziców, którzy dali ci życie?
- Jak odnosisz się do daru przekazywania życia?

Zadanie:

1. Wklej do zeszytu fotografię swojej rodziny i narysuj rodzinny łańcuch pokoleń.
2. Ułóż modlitwę dziękczynną za dar życia i możliwość jego przekazywania.

57. Współczesny apostoł narodów – Jan Paweł II

– Anioł Pański zwiastował Pannie Maryi, i poczęła z Ducha Świętego.
Zdrowaś Maryjo...
– Oto Ja, służebnica Pańska, niech mi się stanie według słowa Twego.
Zdrowaś Maryjo...
– A Słowo ciałem się stało i zamieszkało między nami.
Zdrowaś Maryjo...

Módl się za nami, Święta Boża Rodzicielko, abyśmy się stali godnymi obietnic Chrystusowych.

Módlmy się:
Łaskę Twoją, prosimy Cię, Panie, racz wlać w serca nasze, abyśmy poznawszy za zwiastowaniem anielskim wcielenie Chrystusa, Syna Twego, przez Jego mękę i krzyż do chwały zmartwychwstania byli doprowadzeni. Przez Chrystusa, Pana naszego.

16 X 1978 roku cały świat obiegła niesłychana wieść: papieżem został Polak, kardynał Karol Wojtyła. Świat był poruszony, gdyż jeszcze nigdy w dziejach Kościoła nie było papieża z Polski. Polacy płakali ze wzruszenia, ciesząc się tym szczególnym darem Bożym. Tego dnia Karol Wojtyła stał się następcą św. Piotra i przyjął nowe imię: Jan Paweł II. Bóg przez długi czas przygotowywał Karola Wojtyłę do tej misji. Przyjrzyjmy się jego życiu.

Urodził się na południu Polski, w Wadowicach, w 1920 r. Był kochanym synem, wzorowym uczniem, dobrym bratem i kolegą. Pragnieniem jego matki było, aby jeden z synów został księdzem. Bóg wybrał właśnie Karola. Rok po zakończeniu wojny Karol otrzymał święcenia kapłańskie. Zawsze kochał góry, jeziora, przyrodę. W niej dostrzegał piękno, potęgę i moc Boga. Często więc wybierał się z młodzieżą na górskie wędrówki, zjazdy narciarskie czy spływy kajakowe na jeziora. Kiedy został papieżem, zapragnął głosić miłość Boga całemu światu.

Wyruszył więc na pielgrzymi szlak. Nie ominął w swych podróżach misyjnych żadnego zakątka na świecie. Spotykał się ze wszystkimi ludźmi, umacniając ich wiarę. Zawsze przypominał o godności

Pieśń:

Weź w swą opiekę nasz Kościół święty,
Panno Najświętsza, Niepokalana!
Niechaj miłością każdy przejęty
czci w nim Jezusa, naszego Pana.

Niech serce Twoje Ojca świętego
od nieprzyjaciół zasadzki chroni,
niech się do Pana modli za niego,
od złej przygody niechaj go broni.

człowieka i jego podobieństwie do Stwórcy. Głównym celem jego pielgrzymek było głoszenie Dobrej Nowiny, aby cały świat usłyszał o Jezusie Chrystusie i przyjął Jego miłość. Jan Paweł II pragnął, aby wszyscy ludzie uwierzyli, że tylko Jezus jest źródłem prawdziwego szczęścia. Spotykając się z przedstawicielami rządów, zachęcał ich do troski o światowy pokój. Odwiedzał też kraje, gdzie ginie niewinna ludność. Przybywał tam, gdzie ludzie odchodzą od Boga, zapominając o Jego wielkiej miłości. Przypominał, że tylko Bóg jest dawcą życia i wszystkiego, co czyni człowieka wolnym i szczęśliwym. Jan Paweł II doskonale zrozumiał, czego oczekuje od niego Jezus Chrystus, dlatego z wielką gorliwością wypełniał misyjny nakaz Jezusa.

„I rzekł do nich: «Idźcie na cały świat i głoście Ewangelię wszelkiemu stworzeniu. Kto uwierzy i przyjmie chrzest, będzie zbawiony; a kto nie uwierzy, będzie potępiony”.

(Mk 16,15)

„A ta Ewangelia o królestwie będzie głoszona po całej ziemi, na świadectwo wszystkim narodom. I wtedy nadejdzie koniec”.

(Mt 24,14)

Pielgrzymki Ojca świętego zawsze na nowo odradzały wiarę w sercach ludzi, zapalając je do radosnego wyznania, że Jezus jest prawdziwym Panem i Bogiem.

Śmierć naszego Papieża 2 IV 2005 r., a następnie uroczystości pogrzebowe umocniły powszechne przekonanie wiernych, że odszedł Wielki Święty, który teraz oręduje za nami w niebie.

Zadanie:

1. Módl się w intencjach Ojca świętego słowami modlitwy „Anioł Pański”.
2. Zaznacz na mapie świata kraje, które odwiedził Jan Paweł II.

58. Uczyńmy coś pięknego dla Boga – Matka Teresa z Kalkuty

Matka Teresa z Kalkuty urodziła się 27 VIII 1910 w Albanii. Zmarła w Indiach w 1997 r., mając 87 lat. Kim była ta kobieta, którą już za życia nazywano świętą?

Była trzecim dzieckiem Kaolë i Drane. W Albanii jej imię – Ganxhe, znaczy „pączek", „kwiat". Zawsze była chorowita. Dużo modliła się i czytała. W tej modlitwie i medytacji rozwijało się i wzrastało jej powołanie. Często z całą rodziną jeździła do sanktuarium Matki Bożej w Letnicy. Tam też w 1928 r. podjęła decyzję: „pojadę na misje i poświęcę się całkowicie Bogu". Przyjęły ją siostry loretanki w Dublinie, skąd później pojechała do Indii. Tam też, w Kalkucie, przeżyła nowicjat, który nauczył ją modlitwy i adoracji, by kochać i dobrze służyć Bogu i bliźnim. Była pielęgniarką i nauczycielką. W 1937 r. złożyła śluby wieczyste, aby świadczyć o miłości Boga do ludzi. Została dyrektorką szkoły. Chciała kochać wszystkich bez wyjątku. Dlatego też wszyscy nazywali ją „Matką". Chodząc po ulicach Kalkuty, widziała wiele ludzkiej nędzy. Bardzo to przeżywała. Obraz biedaków sprawiał jej wiele bólu. Wtedy odczuła ogromne pragnienie: „Musisz wyjść, aby służyć biednym". Za zgodą przełożonych podjęła decyzję o odejściu ze zgromadzenia, by oddać się całkowicie najbiedniejszym.

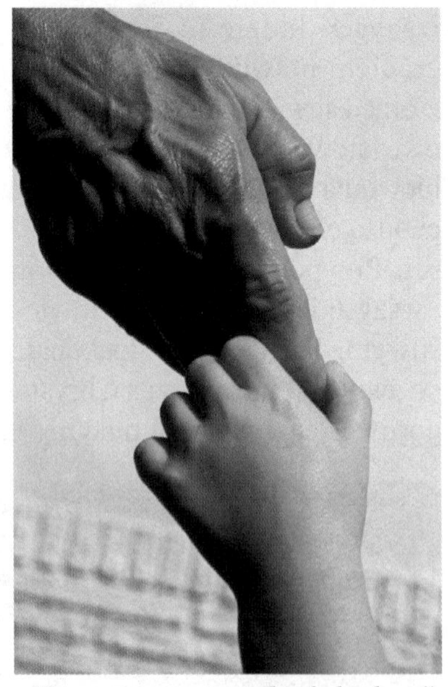

„Nie wystarczy powiedzieć: kocham".

Uzbrojona w miłość i ubóstwo, ubrana w sari, z przypiętym na piersiach krzyżem, była gotowa oddać się ludziom bez reszty. W ciągu dnia krążyła po mieście, odwiedzała chorych. Wieczorem, śmiertelnie zmęczona, znajdowała się na ulicy, bez dachu nad głową, jak wielu tamtejszych ludzi. Myła dzieci, organizowała żywność, próbowała leczyć. Jej dawne uczennice rozpoznały ją i zapragnęły się do niej przyłączyć. Im też przekazała swoje wezwanie do miłości. Była to pierwsza wspólnota, którą Matka Teresa nazwała „Misjonarkami Miłości".

Oto jej życiowy program:

„Kochać tak, jak kocha Jezus.
Pomagać tak, jak pomaga Jezus.
Dawać tak, jak daje Jezus.
Służyć tak, jak służy Jezus.
Zbawiać tak, jak zbawia Jezus.
Przebywać nieustannie
z Jezusem.
Dotykać Jezusa w Jego starym
ubraniu".

W 1965 r. było już wokół niej 300 sióstr. Matka Teresa, dostrzegając biedę, zaczęła otwierać domy dla opuszczonych i sierot, potem domy dla umierających na ulicy. Przyjęła do nich także trędowatych. Spotkała się z papieżem Pawłem VI i Janem Pawłem II. Zawsze twierdziła, że największą chorobą nie jest rak czy trąd, ale ludzka obojętność.

A potem wyruszyła w cały świat, aby odnaleźć Chrystusa w biednych i udzielić Mu pomocy. Otrzymała wiele nagród i wyróżnień, wśród których najważniejszą jest Jezus Chrystus.

„Tajemnicą mojego życia jest Jezus i Jego nieskończona miłość do wszystkich ludzi, modlitwa, medytacja, codzienna godzinna adoracja Najświętszego Sakramentu, śluby zakonne".

Umierając wiedziała, że pójdzie do nieba. W Budapeszcie z okazji otwarcia nowego domu zakonnego powiedziała:

„Nie mam czasu ani na starzenie się, ani na umieranie. Mam tylko czas na to, aby służyć Bogu i kochać Go w drugim człowieku. Kocham wszystkich ludzi, szczególnie zaś tych, którzy cierpią. Wszystko, co czynię, czynię dla Jezusa".

10 XII 1979 w Oslo otrzymała Pokojową Nagrodę Nobla. Gdy zaproszono ją na uroczysty obiad, który miał być wydany na jej cześć, odmówiła, twierdząc:

„Nie mogę pozwolić sobie na taki obiad, gdy wielu ludzi cierpi głód i umiera...
Chcemy być biedne, tak jak oni".

19 X 2003 Jan Paweł II dokonał beatyfikacji Matki Teresy. Odtąd możemy nazywać ją błogosławioną i wraz z całym Kościołem modlić się do Boga za jej wstawiennictwem.

Pomyśl:

- Czego cię uczy i do czego zobowiązuje Matka Teresa?
- Kim był dla niej, a kim jest dla ciebie Jezus Chrystus?
- Jak możesz ją naśladować w codziennym życiu?

Zadanie:

1. Zrób coś, o czym mógłbyś powiedzieć, że postąpiłeś jak Matka Teresa.
2. Napisz, jak rozumiesz słowa Matki Teresy: „Nie wystarczy powiedzieć: kocham".

59. Św. Teresko, zdradź nam swój sekret

Teresa Martin urodziła się 2 stycznia 1873 roku w Alençon, w Normandii (Francja), w rodzinie Ludwika i Zelii Martin. Była najmłodszą z gromadki dziewięciorga dzieci. W piątym roku życia spotkało ją pierwsze ciężkie doświadczenie: zmarła jej matka. Kilka miesięcy później cała rodzina zamieszkała w willi „Buissonnets" w Lisieux. Właśnie wtedy Teresa poznała zakon karmelitanek, do którego wstąpiła jej starsza siostra, Paulina. Odejście Pauliny było dla Teresy ciosem, odnawiającym zranienie spowodowane śmiercią matki. Pojawiło się u niej osłabienie odporności psychicznej, stany odrętwienia, halucynacje. Jej cierpienia pogłębiały wizyty u siostry, którą teraz mogła widywać tylko przez kratę rozmównicy w Karmelu. „Dziwna choroba" skończyła się 13 maja 1883 roku: tego dnia Teresę przeniknął „porywający uśmiech Najświętszej Dziewicy", której figurkę miała przy łóżku. Rok później Teresa przystąpiła do pierwszej Komunii świętej. Zdrowie miała jednak nadal delikatne. Cierpiała też z powodu utraty trzeciej ukochanej osoby – najstarszej siostry, Marii, która również wstąpiła do Karmelu w Lisieux. Obudziło się w niej pragnienie pójścia śladem sióstr. Po przyjęciu Komunii św. w noc Bożego Narodzenia 1886 doznała wielkiej łaski duchowego uzdrowienia. Z miłości do Jezusa pragnęła ocalić tych, którym groziło potępienie. Jej pierwszym „duchowym dzieckiem" stał się niejaki Pranzini, wielokrotny morderca. Teresa modliła się za niego. Skazaniec przed śmiercią ucałował krzyż, co dla Teresy było potwierdzeniem wysłuchania tych modlitw. Aby „sprawić przyjemność Jezusowi", postanowiła wstąpić do Karmelu. Prowadziła na ten temat długie rozmowy z ojcem, wujem, przełożoną Karmelu. Chcąc uzyskać zgodę na wstąpienie do zakonu w tak młodym wieku, była na audiencji u biskupa, a nawet u samego papieża Leona XIII. Wahania jednych, a sprzeciw innych nie przeszkodziły jej i 9 IV 1888 otwarła się przed Teresą ciężka furta Karmelu. Miała dopiero 15 lat. W tym czasie jej

ojciec został sparaliżowany, a w 1894 roku zmarł. 10 I 1889 Teresa przywdziała habit.

Tymczasem w Karmelu życie toczyło się normalnie. Teresa nie robiła nic szczególnego, co odróżniałoby ją od innych sióstr. Mając 23 lata została mistrzynią nowicjuszek. Podprowadzała je do Bożej miłości. Swoim przykładem uczyła, jak będąc małym, stawać się wielkim. Na polecenie przełożonej spisała swój pamiętnik – „Dzieje duszy", w którym zawarła sekret swej świętości, swej „małej drogi" do Jezusa. Wieczorem 3 IV 1896, w Wielki Czwartek, gdy położyła się spać, dostała pierwszego krwotoku. Był to symptom rozwijającej się gruźlicy. Nie powiadomiła o tym nikogo. Pragnęła wyjechać na misje i „być misjonarką całego świata". Jej ostatnie słowa to: „Mój Boże, kocham Cię" (30 IX 1897). Kilka miesięcy wcześniej wyznała: „Ja nie umieram, wstępuję w życie" (list z 9 VI 1897).

Sto lat po śmierci Teresy papież Jan Paweł II w klasztorze Karmelu w Lisieux podkreślił głęboko ewangeliczny charakter „małej drogi" św. Teresy, pytając retorycznie:

„Jakaż inna prawda orędzia ewangelicznego jest bardziej zasadnicza i uniwersalna od tej, że Bóg jest naszym Ojcem, a my jego dziećmi?"

Pan Jezus szczególnie umiłował dzieci, które stawiał uczniom jako wzór. W Ewangelii św. Mateusza czytamy:

„On przywołał dziecko, postawił je przed nimi i rzekł: «Zaprawdę, powiadam wam: Jeśli się nie odmienicie i nie staniecie jak dzieci, nie wejdziecie do królestwa niebieskiego. Kto się więc uniży jak dziecko, ten jest największy w królestwie niebieskim".

(Mt 18,2-4)

Święta Teresa doskonale zdawała sobie sprawę, co to znaczy uniżyć się jak dziecko. Jej wielka miłość do Boga Ojca była powodem, że chciała być najmniejsza spośród wszystkich. Pragnęła znaleźć jakąś małą drogę, która zaprowadziłaby ją wprost w Boże objęcia.

SEKRET ŚWIĘTOŚCI TERESKI OD DZIECIĄTKA JEZUS

Całe życie świętej Tereski jest wielkim sekretem. Możemy się dzisiaj zastanowić, co ta skromna, prosta w swym zachowaniu i sposobie bycia dziewczyna chciałaby nam powiedzieć. Przeczytaj więc kilka wybranych fragmentów z pamiętnika św. Teresy i zapytaj ją, jak żyć, aby podobać się Bogu i cieszyć się Jego nieustanną obecnością:

„Ja siebie uważam za małą ptaszynę, pokrytą jedynie lekkim puchem; nie jestem orłem, mam jednak orle oczy i serce, bo pomimo bezmiernej maleńkości mam śmiałość wpatrywać się w Boskie Słońce, Słońce Miłości, a moje serce czuje w sobie porywy orła".

(Dzieje duszy)

„Zrozumiałam, że Miłość zamyka w sobie wszystkie powołania, że Miłość jest wszystkim, obejmuje wszystkie czasy i wszystkie miejsca... Zatem uniesiona szałem radości, zawołałam: «O Jezu, Miłości moja... nareszcie znalazłam moje powołanie!»"

(Rękopis B)

Święta Teresa odkryła nam swoją „małą drogę", swój sekret świętości. Z dziecięcą ufnością i miłością powierzyła swoje życie Bogu Ojcu. Robiła rzeczy najbardziej zwyczajne, ale robiła je zawsze z największą radością. Żyła dla Boga i z Bogiem. Pragnęła być najmniejsza spośród wszystkich, a dobry Bóg wywyższył ją i uczynił świętą.

W swoim akcie oddania się miłosiernej Miłości Boga Teresa napisała:

„O Boże, Trójco Przenajświętsza, pragnę Cię kochać i pobudzać innych do miłowania Ciebie; chcę pracować na chwałę Kościoła świętego, ratując dusze żyjące na ziemi i cierpiące w czyśćcu. Pragnę spełniać doskonale Twoją radę i dojść do tej chwały, którą mi zgotowałeś w królestwie Twoim. Chcę być świętą, lecz czuję całą moc nieudolności i błagam Cię, o Boże, stań się Świętością moją. Amen".

„Jezus nie żąda wielkich czynów, ale jedynie zdania się na Niego i wdzięczności (...). Oto wszystko, czego Jezus żąda od nas; nie potrzebuje On wcale naszych dzieł, lecz jedynie naszej miłości".

(Dzieje duszy)

„Spodobało się Jezusowi wskazać mi jedyną drogę, która wiedzie w sam Boski żar: tą drogą jest zaufanie małego dziecka, które bez obawy zasypia w ramionach swojego ojca..."

(List do siostry Marii od Serca Jezusa z 13 IX 1896)

„Mam tylko jeden sposób, by okazać Ci moją miłość; rzucanie kwiatów, to znaczy, że nie opuszczę żadnej okazji do ofiary, choćby najmniejszej, żadnego spojrzenia, żadnego słowa, wykorzystam najdrobniejsze nawet czyny, by pełnić je z miłością (...), potem rzucając moje kwiatki, będę śpiewać; będę śpiewać nawet wtedy, gdy trzeba mi będzie zrywać kwiaty pośród cierni, a śpiew mój będzie tym bardziej melodyjny, im ciernie będą dłuższe i ostrzejsze".

(Dzieje duszy)

Pomyśl:

- W czym chciałbyś naśladować św. Teresę?
- Czy wierzysz, że Bóg cię kocha?
- Czy czujesz się Jego dzieckiem?
- Jak często dziękujesz Mu za wszystko, co cię spotyka na co dzień?
- Jak często prosisz Boga o pomoc w trudnych sprawach?
- Czy z radością spotykasz się z Nim na modlitwie, Mszy św.?

„Bóg jest miłością i Jego miłość szuka serc, które pozwalają się kochać".

Zadanie:

1. Napisz, w czym chciałbyś naśladować św. Teresę.
2. Postaraj się przeczytać książkę „Tereso, zdradź nam swój sekret", aby lepiej poznać jej życie i miłość do Jezusa Chrystusa.

60. Moja postawa wobec nauczycieli – Dzień Nauczyciela

Panie Jezu Chryste, poddany ziemskiej Matce i św. Józefowi, posłuszny swemu Ojcu aż do śmierci krzyżowej, Panie cichy i pokorny sercem, naucz mnie szanować i czcić wychowawców i nauczycieli. Błogosław ich pracy, daj im zdrowie, obdarz swoim pokojem i radością. Proszę Cię o to, Panie, który żyjesz i królujesz na wieki wieków.

„Kiedy chodziłem jeszcze do szkoły, niektóre przedmioty sprawiały mi prawdziwą udrękę. Najgorzej było na łacinie. Nauczyciel jakby uwziął się na mnie. Nigdy nie docenił moich wielkich wysiłków. Widział tylko moje błędy! Byłem całkowicie zrezygnowany i chciałem się poddać. Wtedy na szczęście dostałem innego nauczyciela: był to stary, dobry ksiądz, który bardzo lubił młodzież. Pewnego dnia kazał mi przetłumaczyć fragment tekstu. Kiedy udało mi się coś przypadkowo dobrze przełożyć, natychmiast mnie pochwalił i dodał odwagi:

– Tak, dobrze – powiedział. – Bardzo ładnie to zrobiłeś.

Tak bardzo ucieszyła mnie ta uwaga! Od tego dnia zawsze znajdowałem w sobie dość motywacji, by dalej studiować łacinę".

(P. Lefévre, Jak zmienić swe życie?, Poznań 1993, s. 176-177)

Pan Bóg chce, abyśmy stawali się lepsi, mądrzejsi, dlatego stawia na drodze naszego życia nauczycieli. Każdy z nich, dzieląc się swoją wiedzą i doświadczeniem, jest wzorem i przykładem życia. Nie zawsze jednak jest to łatwe. Mimo że szkoły wyposażane są w coraz nowocześniejsze środki dydaktyczne, wielu uczniów niechętnie do nich przychodzi. Szkoła nadal dla wielu jest „złem koniecznym".

Nauczycielu drogi!
Rolniku nie ziemi, lecz serca
owocu wytrwały,
cierpliwości niewyczerpana.
Dobywasz ze swego skarbca,
uczysz niezmordowania.
Dziś staję przy Tobie,
pochylam się nisko,
całuję Twe dłonie,
szanuję nazwisko
i światu powtarzam:
„Kocham Cię za wszystko!"
Za dar Twojej wiedzy,
miłości Twej czary,
za małość i wielkość
Twojej ludzkiej wiary.
Dziękuję, nauczycielu!
Może dziś nie cenię,
może nie rozumiem,
lecz wiem, że odejdę
zabierając z sobą
to, co mówiłeś,
i to, co już umiem.
Zdam egzamin,
rozniosę Twe „Wszystko",
w historię naszą wpiszę
imię, nazwisko.
Ojczyzna dumna będzie
dobrem Twego życia
i ze mną podziękuje
za Twój sposób bycia.

(T. Śmiech, W gliniany dzban mego życia..., Kielce 1995, s. 82)

Dlaczego się uczysz? Jeżeli tylko dla osiągnięcia dobrych wyników, to taka nauka nie pozostawi w tobie trwałego śladu. Jeśli dla pochwały rodziców czy ewentualnych nagród, z czasem przestanie to być dla ciebie motywacją. Zacznij się uczyć, by doskonalić samego siebie, a nauczycieli potraktuj z miłością, jako przewodników po skarbcu wiedzy.

Naszym najlepszym Nauczycielem jest Jezus, który przez własny przykład uczy otwarcia na słowo Boże, posłuszeństwa wobec woli Ojca i szacunku dla innych. Módl się często za wychowawcę i nauczycieli. Oni potrzebują twojej modlitwy. Oni potrzebują błogosławieństwa Bożego.

Pomyśl:

- Jaki jesteś wobec nauczycieli?
- Jaki powinieneś być?
- Dlaczego taki nie jesteś?
- Co musisz zmienić w swoim postępowaniu, aby było lepiej?

Dobry nauczyciel to ten, który dobrze uczy. Lepszy nauczyciel to ten, który uczy żyć. Najlepszy nauczyciel to ten, który uczy żyć wiecznie.

(ks. T. Śmiech)

„Pani Błażejewska była moją wychowawczynią. Nazywaliśmy ją Mamą. Do jej klasy przerzucano zawsze «spadochroniarzy» (tzn. uczniów drugorocznych), bo ona była dobra i otwarta na każdego. «Mama» uczyła nas wychowania fizycznego. Zawsze byłam «okrąglutka» i choć miałam problemy z wykonywaniem większości ćwiczeń, musiałam się bardzo starać, bo «Mama» nie przepuściła nikomu. Nie lubiła kłamstwa: tak długo prowadziła rozmowę, aż uczeń przyznawał się do oszustwa i powiedział prawdę. Pamiętam moje pierwsze wagary. Bałam się następnego dnia pokazać w szkole. Pech chciał, że wpadłam na «Mamę».
– Co się wczoraj stało?
– Bałam się, że wpadnie mi z biologii dwója, dlatego zostałam w domu – odpowiedziałam.
«Mama» uśmiechnęła się i odeszła.
Wtedy zrozumiałam, co znaczy naprawdę kochać. To były moje ostatnie wagary. Po stracie taty bardzo cierpiałam. Pewnego dnia stałam podczas przerwy przy oknie i patrzyłam na opadające z drzew liście. Nagle ktoś dotknął mojej ręki. To była «Mama». Długo rozmawiałyśmy. Na koniec powiedziała: «Teraz nie masz ani taty, ani mamy, więc traktuj mnie jak ojca i matkę». Dziś jestem siostrą zakonną, ale przyjaźń z «Mamą» nie skończyła się. Otrzymuję od niej wiele listów".

(s. Leonarda)

Pieśń:

Dobrze, że jesteś!
Co by to było, gdyby Cię nie było?
Co by to było?

Źle by to było,
gdyby Cię nie było,
źle by to było.
Dobrze, że jesteś...

Zadanie:

1. Weź udział we Mszy św. ofiarowanej w intencji twoich nauczycieli.

61. Łączność Kościoła w niebie i na ziemi – uroczystość Wszystkich Świętych

„Kto będzie przebywał w Twym przybytku, Panie,
kto zamieszka na Twojej świętej górze?
Ten, który postępuje bez skazy, działa sprawiedliwie,
a mówi prawdę w swoim sercu
i nie rzuca oszczerstw swym językiem;
ten, który nie czyni bliźniemu nic złego
i nie ubliża swemu sąsiadowi".

(Ps 15,1-3)

Każdy człowiek pragnie szczęścia, które mogłoby trwać wiecznie. Ziemskie szczęście jest przemijające, krótkotrwałe, kończy się wraz ze śmiercią. Dlatego czasem trzeba pomyśleć, co robić, jak żyć, aby zasłużyć na szczęście wieczne, na niebo, które obiecuje nam Jezus.

„Ci, którzy umierają w łasce i przyjaźni z Bogiem oraz są doskonale oczyszczeni, żyją na zawsze z Chrystusem. Są na zawsze podobni do Boga, ponieważ widzą Go «takim, jakim jest» (1 J 3,2), twarzą w twarz".

(KKK 1023)

„To doskonałe życie z Trójcą Świętą, ta komunia życia i miłości z Nią, z Dziewicą Maryją, aniołami i wszystkimi świętymi, jest nazwane «niebem». Niebo jest celem ostatecznym i spełnieniem najgłębszych dążeń człowieka, stanem najwyższego i ostatecznego szczęścia".

(KKK 1024)

„Żyć w niebie oznacza «być z Chrystusem». Wybrani żyją «w Nim», ale zachowują i – co więcej – odnajdują tam swoją prawdziwą tożsamość, swoje własne imię. Żyć to być z Chrystusem; tam gdzie jest Chrystus, tam jest życie i Królestwo".

(KKK 1025)

Co zatem znaczy „być z Chrystusem"? Co robić, aby stać się świętym i cieszyć się niebem? Na te pytania Pan Jezus odpowiada w kazaniu na górze:

„Jezus, widząc tłumy, wyszedł na górę. A gdy usiadł, przystąpili do Niego Jego uczniowie. Wtedy otworzył swoje usta i nauczał ich tymi słowami:
«Błogosławieni ubodzy w duchu, albowiem do nich należy królestwo niebieskie.
Błogosławieni, którzy się smucą, albowiem oni będą pocieszeni.
Błogosławieni cisi, albowiem oni na własność posiądą ziemię.
Błogosławieni, którzy łakną i pragną sprawiedliwości, albowiem oni będą nasyceni.
Błogosławieni miłosierni, albowiem oni miłosierdzia dostąpią.
Błogosławieni czystego serca, albowiem oni Boga oglądać będą.
Błogosławieni, którzy wprowadzają pokój, albowiem oni będą nazwani synami Bożymi.
Błogosławieni, którzy cierpią prześladowanie dla sprawiedliwości, albowiem do nich należy królestwo niebieskie.
Błogosławieni jesteście, gdy [ludzie] wam urągają i prześladują was, i gdy z mego powodu mówią kłamliwie wszystko złe na was. Cieszcie się i radujcie, albowiem wasza nagroda wielka jest w niebie".

(Mt 5,1-12a)

Pan Jezus daje ci konkretne wskazówki, jak zostać świętym. Pragnie, abyś był pokorny, cichy, miłosierny, czystego serca, cierpliwy i radosny we wszystkim, co robisz. Słuchając Jego nauki i wprowadzając ją w życie, otwierasz sobie drogę do nieba, stajesz się święty.

1 listopada Kościół oddaje cześć wszystkim świętym, którzy wstawiają się za nami u Ojca, wypraszając dla nas, grzesznych, potrzebne łaski.

Katechizm Kościoła Katolickiego tak tłumaczy łączność Kościoła w niebie z Kościołem na ziemi:

„Komunia ze świętymi. «Nie tylko jednak ze względu na sam ich przykład czcimy pamięć mieszkańców nieba, ale bardziej jeszcze dlatego, żeby umacniała się jedność całego Kościoła w Duchu przez praktykowanie braterskiej miłości. Bo jak wzajemna łączność chrześcijańska między pielgrzymami prowadzi nas bliżej Chrystusa, tak obcowanie ze świętymi łączy nas z Chrystusem, z którego, niby ze Źródła i Głowy, wypływa wszelka łaska i życie ludu Bożego»".

(KKK 957)

Pomyśl:

- Co robisz, aby zasłużyć na szczęście wieczne?
- Jak często modlisz się do wszystkich świętych, prosząc ich o wstawiennictwo u Boga?
- Kto jest twoim świętym patronem?
- W czym chciałbyś go naśladować?

Litania do wszystkich świętych

Panie, zmiłuj się nad nami.
Chryste, zmiłuj się nad nami.
Święta Maryjo, módl się za nami.
Święty Janie Chrzcicielu...
Święty Józefie...
Święci Piotrze i Pawle...
Święty Andrzeju...
Święty Tomaszu...
Święty Marku...
Święta Mario Magdaleno...
Święty Szczepanie...
Święty Wojciechu...
Święty Stanisławie...
Święta Agnieszko...
Święty Marcinie...
Święty Antoni...
Święty Benedykcie...
Święty Stanisławie Kostko...
Święta Tereso...
Święty Kazimierzu...
Święta Jadwigo...
Wszyscy święci i święte Boże...

Zadanie:

1. Napisz krótki życiorys twojego patrona. W jaki sposób mógłbyś go naśladować?
2. Pomódl się litanią do wszystkich świętych.

62. Wspomnienie wszystkich zmarłych

Św. Karol Boromeusz, arcybiskup Mediolanu, polecił pewnemu artyście namalować obraz śmierci. Po jakimś czasie malarz przyniósł gotowy szkic: był to tradycyjny kościotrup z kosą. Święty wyraził niezadowolenie i poradził mistrzowi, aby przedstawił śmierć jako anioła ze złotym kluczem. Śmierć pozostanie dla nas na zawsze wielką tajemnicą, której nie jesteśmy w stanie zgłębić i zrozumieć. Jedynie wiara i ufność w obietnicę Jezusa daje nam nadzieję, że zmartwychwstaniemy i będziemy żyć wiecznie.

„Zaprawdę, zaprawdę, powiadam wam: Kto we Mnie wierzy, ma życie wieczne".

(J 6,47)

Wystarczy uwierzyć i uznać Go za swojego Pana i Zbawiciela. Wtedy śmierć wieczna nie ma już nad nami władzy.

2 listopada Kościół wspomina wszystkich zmarłych i modli się za tych, którzy oczekują w czyśćcu, aby wejść do wiecznego szczęścia. W tym dniu modlimy się z kapłanem słowami wielbiącymi Boga:

Zaprawdę godne to i sprawiedliwe, słuszne i zbawienne, abyśmy zawsze i wszędzie Tobie składali dziękczynienie, Panie, Ojcze Święty, wszechmogący wieczny Boże, przez Pana naszego, Jezusa Chrystusa. W Nim zabłysła dla nas nadzieja chwalebnego zmartwychwstania, i choć nas zasmuca nieunikniona konieczność śmierci, znajdujemy pociechę w obietnicy przyszłej nieśmiertelności. Albowiem życie Twoich wiernych, Panie, zmienia się, ale się nie kończy, lecz gdy rozpadnie się dom doczesnej pielgrzymki, znajdą przygotowane w niebie wieczne mieszkanie.

(prefacja o zmarłych)

Wierni, udając się tego dnia na cmentarz, mogą uzyskać odpust, czyli darowanie kary doczesnej, i ofiarować go za zmarłych.

Pamiętajmy o naszych bliskich w dniu zadusznym, dniu naszej pamięci i pomocy dla nich.

Zaduszki

Na naszym cichym cmentarzu
pożółkłe stare drzewa.
Zły wiatr listopadowy
w zeschniętych liściach śpiewa.
Cichymi alejami
snuje się tłum w żałobie.
Gorеją jasne światła
na każdym prawie grobie.
Pachną nieśmiertelniki,
choina w wieńce zgięta,
bo dzisiaj są Zaduszki,
umarłych naszych święta.

(Ewa Szelburg-Zarembina)

Pomyśl:

- Czym śmierć jest dla ciebie?
- Jak dziękujesz Panu Jezusowi za obietnicę zmartwychwstania i życia wiecznego?
- Jak często modlisz się o zbawienie twoich bliskich zmarłych?
- Czy pamiętasz o Mszy św. z okazji ich imienin czy rocznicy śmierci?
- Jak troszczysz się o groby?

Pieśń:

Odpocznienie w cieniu skrzydeł Twych,
pokój poznam poprzez miłość Twą!
Choć upadnę, nie będę martwił się,
gdy schronienie znajdę w cieniu skrzydeł Twych.

Znajdę w cieniu, znajdę w cieniu,
znajdę w cieniu skrzydeł Twych.

W Twoim cieniu me schronienie jest,
Twa osłona nie zawiedzie mnie.
Wobec strzał ja nie muszę trwożyć się,
gdy schronienie znajdę w cieniu skrzydeł Twych.

Znajdę w cieniu, znajdę w cieniu,
znajdę w cieniu skrzydeł Twych.

Zadanie:

1. Uporządkuj groby twoich bliskich i pomódl się w ich intencji.
2. Wykonaj rysunek do katechezy lub, jeżeli potrafisz, napisz wiersz (opowiadanie).

63. Wielki Post czasem nawrócenia i przygotowania do Triduum Paschalnego

„Zmiłuj się nade mną, Boże, w swojej łaskawości,
w ogromie swej litości zgładź nieprawość moją.
Obmyj mnie zupełnie z mojej winy
i oczyść mnie z grzechu mojego.
Uznaję bowiem nieprawość moją,
a grzech mój jest zawsze przede mną.
Przeciwko Tobie samemu zgrzeszyłem
i uczyniłem, co złe jest przed Tobą,
abyś okazał się sprawiedliwy w swym wyroku
i prawy w swoim sądzie.
Oto urodziłem się obciążony winą
i jako grzesznika poczęła mnie matka.
A Ty masz upodobanie w ukrytej prawdzie,
naucz mnie tajemnic mądrości.
Pokrop mnie hizopem, a stanę się czysty,
obmyj mnie, a nad śnieg wybieleję.
Spraw, abym usłyszał radość i wesele,
niech się radują kości, które skruszyłeś.
Odwróć swe oblicze od moich grzechów
i zmaż wszystkie moje przewinienia!
Stwórz, o Boże, we mnie serce czyste
i odnów we mnie moc ducha.
Nie odrzucaj mnie od swego oblicza
i nie odbieraj mi świętego ducha swego!
Przywróć mi radość Twojego zbawienia
i wzmocnij mnie duchem ofiarnym".

(Ps 51,1-14)

Syn marnotrawny

Ewangelizacyjny zespół amerykański The Living Sound wędrował po parafiach. Z wielkim entuzjazmem opowiadali członkowie zespołu o Bożym miłosierdziu. Ze świadectw życia utrwaliło się w pamięci wielu słuchaczy opowiadanie o młodym mężczyźnie wracającym z więzienia. Do kogo miał wracać – nie wiedział. Napisał list do swoich rodziców. Pisał w nim, że będzie przejeżdżał obok ich domu. Nie miał odwagi napisać «swojego domu». Zawiódł przecież rodziców. Prosił tylko, by dali mu znak, jeśli pragną, by wysiadł i odwiedził ich: jakąś wstęgę na drzewie, może światło w oknie. Mieszkał bowiem tuż przy torach kolejowych. W pociągu opowiedział przygodnemu pasażerowi historię swego życia. Zapłakał, kiedy wspomniał o liście.

– Nie wierzę w jakikolwiek znak od moich rodziców. Nie mam odwagi spojrzeć na to, co zobaczę za szybą. Tam nic nie będzie!

Dojeżdżali do miejscowości, gdzie mieszkał. Nasz bohater skrył twarz w dłoniach i trwał tak w długim milczeniu. Nagle przygodny słuchacz zaczął szarpać za ramię zgnębionego człowieka i wołać:

– Spójrz, spójrz w okno, zobacz natychmiast!

To zdumienie kazało zupełnie obcemu człowiekowi tak wołać! Zobaczył za oknem cały sad łopocący chorągiewkami. Był to znak, jaki rodzice dali swojemu dziecku, by zatrzymał się i wrócił do domu. Na zawsze!

(Z. Trzaskowski, Zdać się na Boga, Kielce 1994, t III, s. 137-138)

Św. Paweł w Liście do Kolosan wzywa:

„Teraz i wy odrzućcie to wszystko: gniew, zapalczywość, złość, znieważanie, haniebną mowę od ust waszych. Nie okłamujcie się nawzajem, boście zwlekli z siebie dawnego człowieka z jego uczynkami".

(Kol 3,8-9)

Życie człowieka to seria nieustannych powrotów. Tych zwykłych: do swojego dzieciństwa, do swych przyjaciół, do ulubionych zdjęć, zabaw, pamiątek, i tych niezwykłych, bo często bardzo trudnych, jak np. powrót do rodziców po kolejnym akcie nieposłuszeństwa, z prośbą o wybaczenie, czy przede wszystkim powrót do Boga, stale oczekującego na naszą poprawę.

Każdy z nas potrzebuje czasu na zatrzymanie się, na refleksję nad swoim życiem. Wszyscy potrzebujemy Wielkiego Postu, który jest czasem patrzenia na krzyż, rozpamiętywania męki i śmierci Pana Jezusa. Potrzebujemy czasu uzdrowienia serc, idąc na spotkanie ze zmartwychwstałym Panem. Dzięki męce, śmierci i zmartwychwstaniu Pana Jezusa staliśmy się nowymi ludźmi, dziećmi Boga Ojca.

Wielki Post to czas pokuty i przemiany życia, czas duchowego wzrostu i stawania się nowymi ludźmi. Spróbuj przemyśleć zamieszczoną obok „Drogę pojednania" i staraj się wprowadzić ją w życie. Pomoże ci ona przygotować się do świąt wielkanocnych, i staniesz się podobny do Tego, który za ciebie cierpiał, umarł i zmartwychwstał.

Droga pojednania

1. Staraj się, aby w twoich słowach i działaniu zawarty był okruch miłości. Bądź pewien, że będzie on pomocny w przebaczaniu.

2. Z całego serca przebacz tym, którzy są dla ciebie źli. Błogosławieni, którzy przebaczają – Bóg też im wybaczy.

3. Nie odmawiaj bliźniemu daru miłości. Jeśli mu go odmawiasz, odmawiasz mu wszystkiego. Jeśli mu go dajesz, dajesz mu wszystko.

4. Nie sporządzaj w swoim życiu rejestru krzywd, jakie cię spotkały, ale przebaczaj, a otrzymasz najwspanialszy dar – pokój serca.

5. Staraj się być zgodny w obcowaniu z ludźmi trudnego charakteru. Zaakceptuj ich. Nieś miłość tym, którzy zadają ci rany, są źli na ciebie lub wrogo nastawieni.

6. Obdarz szczególną miłością tych, którzy w swoim uporze nie chcą przyjąć zgody.

7. Pozwól, by twoje serce przebaczało tym, którzy cię skrzywdzili. Bóg obdarzy cię wtedy pełnią łaski.

8. Królestwa Bożego, królestwa miłości i pokoju, nie możesz budować uznając tylko swoje racje. Wprowadzaj pokój – nawet za cenę twoich racji – a będziesz przyjacielem Boga.

9. Miłość Boga nie zna granic. Wzywa nas, abyśmy dawali świadectwo. Nie wyznaczaj granic miłości, bo tak czyniąc stawiasz przeszkodę między Bogiem a tobą.

10. Kochaj ludzi. Weź ich miłość do swego serca. Idź drogą pojednania.

(Z. Trzaskowski, Zdać się na Boga, Kielce 1994, t. III s. 36)

Zadanie:
Wykonaj w zeszycie rysunek przybliżający istotę nawrócenia.

64. Święty Wojciech – biskup i męczennik

W 966 roku książę Mieszko I przyjął chrzest. Wydarzenie to upamiętnił słynny malarz Jan Matejko na jednym ze swoich obrazów. Gdy przyjrzysz się dobrze temu obrazowi, zauważysz, że chrzest przyjmuje książę i jego dwór, natomiast poddani oddają się swoim codziennym zajęciom. Dla nich Chrystus był ciągle kimś nieznanym. Wiele lat musiało upłynąć, aby Polska stała się krajem chrześcijańskim. Nad rozbudzeniem wiary trudziło się wielu misjonarzy. Jednym z nich był św. Wojciech.

Urodził się około 956 roku w czeskich Libicach, w możnym rodzie, jako przedostatni z synów księcia Sławnika. Jego ojciec pragnął, aby został wojownikiem, rycerzem. Jednak losy Wojciecha potoczyły się inaczej.

W dzieciństwie ciężko zachorował i wówczas rodzice złożyli ślub, że jeśli syn wyzdrowieje, będzie oddany na służbę Bogu. Tak też się stało. Jako szesnastoletni chłopiec rozpoczął naukę pod okiem arcybiskupa Magdeburga, św. Adalberta, i przez 10 lat przygotowywał się do swoich przyszłych obowiązków duchownego. Po śmierci św. Adalberta Wojciech wrócił do Pragi. Miał wówczas 26 lat. Rok później został wyświęcony na biskupa. Był pierwszym biskupem narodowości czeskiej w swoim kraju.

Do swojej biskupiej stolicy, Pragi, wszedł boso. Miało to symbolizować jego skromne, ubogie, proste życie.

Św. Wojciech szczególnie umiłował biednych i więzionych. Bardzo cierpiał, widząc nędzę i poniżenie ludu Pragi. Nie mógł znieść, że Kościół był uzależniony od kaprysów bogaczy, a i sami duchowni często łamali prawa Boże. Kiedy św. Wojciech spostrzegł, że jego napomnienia są daremne, po pięciu latach posługi opuścił swoje miasto i udał się po poradę do Rzymu. Papież Jan XV zwolnił go na pewien czas z obowiązków biskupich i św. Wojciech wstąpił do zakonu benedyktynów. Po trzech latach znów został wezwany do Pragi.

Do świętego Wojciecha

Sławny w męczenników gronie,
o Wojciechu, nasz Patronie,
za twe prace i cierpienia
przyjmij nasze dziękczynienia.
O Wojciechu, nasz Patronie,
zawsze stawaj nam w obronie,
a swoimi przemożnymi
modlitwami
Boga błagać racz za nami.

Boże, Ty umocniłeś nasz naród w wyznawaniu Twego imienia przez nauczanie i chwalebne męczeństwo świętego Wojciecha, biskupa; spraw, prosimy, aby ten, który na ziemi głosił naszym przodkom wiarę, wstawiał się za nami w niebie. Przez naszego Pana, Jezusa Chrystusa, Twojego Syna, który z Tobą żyje i króluje w jedności Ducha Świętego, Bóg przez wszystkie wieki wieków.

Żyć tam nie było mu łatwo. Z zemsty za pomoc udzieloną kobiecie skazanej przez swojego męża na śmierć oprawcy spalili jego rodzinny gród i zamordowali czterech braci wraz z rodzinami. Po trzech latach święty pojechał potajemnie do Rzymu. Do Pragi nie chciał już wracać. Z silnym pragnieniem oddania się pracy misyjnej wśród pogan przybył do Polski, a stąd udał się z wyprawą misyjną do Prus (czyli na Pomorze). Nie chcąc nadawać swojej wyprawie charakteru wojennego, odprawił żołnierzy króla Bolesława, którzy mieli stanowić jego ochronę. Po przybyciu na miejsce okazało się, że lud pruski nie chce się nawrócić, a nawet złorzeczy świętemu. W piątek 23 kwietnia 997 roku uzbrojony tłum Prusaków otoczył misjonarzy. Rzucono się na nich i związano. Św. Wojciech zginął od siedmiu ran, zadanych mu oszczepem.

Miał zaledwie 41 lat. Jego ciało przywieziono do Gniezna. Co roku 23 kwietnia, w uroczystość św. Wojciecha, ściągają tam rzesze pątników, aby modlić się za Ojczyznę. Św. Wojciech jest głównym patronem Polski.

W prefacji na ten dzień modlimy się tymi słowami:

Boże, Ty włączyłeś do grona biskupów świętego Wojciecha, pełnego miłości ku Tobie i wiary, która daje zwycięstwo nad światem. On przeszyty włóczniami obumarł jak ziarno pszenicy, które wrzucone w ziemię daje plon obfity. Radujemy się z jego opieki nad nami i sławimy Ciebie za łaski, których nam udzieliłeś. Przez naszego Pana, Jezusa Chrystusa.

(prefacja o św. Wojciechu,
biskupie i męczenniku)

W 1997 roku minęło tysiąc lat od męczeńskiej śmierci św. Wojciecha. Był to szczególny rok, kiedy cała Polska dziękowała Bogu za świadectwo i przykład chrześcijańskiego życia, jakie pozostawił nam św. Wojciech.

Modlitwie tej przewodniczył 3 VI 1997 Jan Paweł II.

Pomyśl:

– Jakiej postawy wobec Boga uczy nas św. Wojciech?

Zadanie:

1. Naucz się na pamięć modlitwy „Sławny w męczenników gronie”.
2 Weź udział we Mszy św. w uroczystość św. Wojciecha.

65. Święty Stanisław wzorem służby Bogu i Kościołowi

W Warszawie, przy kościele św. Stanisława Kostki na Żoliborzu, jest grób ozdobiony kamiennymi paciorkami różańca, w którym spoczywa ks. Jerzy Popiełuszko. W czasach prześladowania działaczy „Solidarności" przez władze został zamordowany, służąc Bogu i troszcząc się o dobro ludzi. Dla sprawy, o którą walczył, złożył ofiarę życia. Nazywamy go współczesnym męczennikiem, bo w imię Boga przeciwstawiał się złu i zapłacił za to najwyższą cenę.

Takich męczenników na przestrzeni wieków spotykamy bardzo wielu, od początków chrześcijaństwa po czasy współczesne. Jednym z nich jest św. Stanisław ze Szczepanowa – biskup.

Urodził się ok. 1030 r. Po ukończeniu studiów i otrzymaniu święceń kapłańskich został mianowany biskupem Krakowa. Odważny i gorliwy, jawnie wystąpił przeciw królowi Bolesławowi Śmiałemu, kiedy ten wraz ze swoimi rycerzami źle postępował i krzywdził innych. Rozgniewawszy się publicznym napomnieniem, król posłał swoich żołnierzy, którzy weszli do kościoła i w czasie Mszy św. rzucili się na biskupa z mieczami. Wieść o śmierci Stanisława rozeszła się po kraju bardzo szybko. Lud ogłosił go świętym, a król musiał ustąpić z tronu i w worze pokutnym, oddalony od ludzi, zakończył życie w Osjaku na Węgrzech jako ubogi mnich. Dziś, wspominając tego świętego i czcząc jego męczeństwo, wielbimy Chrystusa w uroczystej procesji, która wyrusza z kościoła na Skałce – miejsca jego śmierci, na Wawel, gdzie w specjalnym sarkofagu spoczywa jego ciało. Uczestniczą w niej licznie mieszkańcy Krakowa i wszyscy, dla których świętość biskupa Stanisława jest faktem o dużym znaczeniu.

„Aż do śmierci stawaj do zapasów o prawdę, a Pan Bóg będzie walczył o ciebie".
(Syr 4,28)

Boże, za Twój Kościół zginął pod mieczami prześladowców sławny biskup Stanisław. Spraw, prosimy, aby wszyscy, którzy wzywają jego pomocy, osiągnęli zbawienny owoc swoich próśb. Przez Chrystusa, Pana naszego.

Jest to, jak mówimy, rocznica jego „narodzin dla nieba". Dla nas zaś ten dzień jest dniem modlitwy za Ojczyznę i Kościół, który ogłosił św. Stanisława, obok Matki Bożej i św. Wojciecha, patronem Polski.

Współczesny świat ciągle potrzebuje odważnych chrześcijan, którzy z mocą będą głosić słowo Boże, przeciwstawiając się wszelkiej niesprawiedliwości i złu.

Jezus mówi:

„Nie bójcie się tych, którzy zabijają ciało, lecz duszy zabić nie mogą. Bójcie się raczej Tego, który duszę i ciało może zatracić w piekle. Czyż nie sprzedają dwóch wróbli za asa? A przecież żaden z nich bez woli Ojca waszego nie spadnie na ziemię. U was zaś nawet włosy na głowie wszystkie są policzone. Dlatego nie bójcie się: jesteście ważniejsi niż wiele wróbli. Do każdego więc, który się przyzna do Mnie przed ludźmi, przyznam się i Ja przed moim Ojcem, który jest w niebie. Lecz kto się Mnie zaprze przed ludźmi, tego zaprę się i Ja przed moim Ojcem, który jest w niebie".

(Mt 10,28-33)

Warto iść za Chrystusem. Warto być mężnym w wyznawaniu swojej wiary. WARTO ZOSTAĆ ŚWIĘTYM.

Pomyśl:

- Czego może nas nauczyć św. Stanisław, biskup-męczennik?
- Jakie miejsce w twoim życiu zajmuje Pan Jezus?

Zapamiętaj:

Każdy święty męczennik pokazuje nam, że wiara ma swoją cenę i wymaga ofiar nie wyłączając życia. Człowiek dowodzi swą postawą, jak ważny dla niego jest Chrystus.

Jan Paweł II składa pocałunek na relikwiach św. Stanisława

Zadanie:

1. Ułóż rozmowę św. Stanisława z królem Bolesławem Śmiałym w trakcie ich spotkania po śmierci.
2. Postaraj się uczestniczyć we Mszy św. 8 maja.
3. Opisz przynajmniej jedną sytuację, w której odważnie wystąpiłeś w obronie prawdy lub wiary.

66. Dzień Matki – moja mama i ja

Mamo...

Panie, Ty jeden znasz jej serce.
Ty jeden wiesz, ile w nim lęku i niepokoju,
ile radości, nadziei i marzeń związanych
z tym,
które się jeszcze nie narodziło na świat.

Ty jeden znasz jej troski i łzy,
gdy pochyla się nad rozpalonym gorączką,
majaczącym dzieckiem,
i wiesz, jak przepełnione wdzięcznością
jest jej serce,
gdy dziękuje Ci za to, że wyzdrowiało.

Ty wiesz także, jak jest czasem zmęczona,
smutna, niewyspana, chora,
a zawsze czynna, uśmiechnięta, skora do
pomocy.

Boże, Ty jeden znasz też nasze serca.
Wiesz, jak niewierne, niewdzięczne
są serca dzieci.
Prosimy Cię, pomóż zmienić się im,
póki nie jest za późno.
Nie pozwól, by w starości oczy jej
blakły od łez,
płakanych w samotności i opuszczeniu.
Zmiękcz serca i usta, by jak w dzieciństwie
z miłością umiały powiedzieć: Mamo...

(Z. Trzaskowski, Zdać się na Boga, t. I, Kielce 1992, s. 137)

„Gdy zbliża się Dzień Matki, myślę, że warto zastanowić się, czyje to właściwie święto. Słowo «matka» być może nie brzmi tak, jak powinno, w świecie, w którym zdarza się, że dziecko zabija matkę tylko dlatego, że poprosiła o sciszenie dudniącego magnetofonu. Nie jest ono tym, czym powinno być, kiedy na każdym podwórku słyszymy «moja stara». Lecz dla mnie (mam nadzieję, że dla wielu jeszcze ludzi) jest ono wyjątkowe, gdyż oznacza kobietę, dzięki której mogę czuć, oddychać, kochać. Mama to jedyna osoba, która jest ze mną przez cały czas, od pierwszego kroku, poprzez pierwszy dzień w szkole i uczestnictwo w koncercie mojej ukochanej kapeli, aż do...

Mama to osoba, która tak jak ja, a może jeszcze bardziej, przeżywa to, co mnie spotyka. To Ona pocieszała mnie, gdy po raz pierwszy dostałam zły stopień, to Ona była ze mną, gdy mój najlepszy przyjaciel mnie opuścił, i wtedy gdy pisałam egzamin wstępny do liceum.

Nie każdy jednak ma przy sobie mamę, kiedy jej potrzebuje. Nie każdy zaznaje jej opieki, czułości i miłości. Wielu ludzi nie może wziąć jej za rękę, kiedy przerazi się ciemności. Nie wszyscy czują jej kojącą obecność.

Są również i tacy, którzy nie wiedzą nawet, kto dał im życie, do kogo mają mówić «mamo». Ci ludzie z pewnością zdają sobie sprawę z tego, co tracą.

W głębi duszy marzą o tym, by ich mama zjawiła się i przytuliła do siebie. Oni nie pomyśleliby, że można jej powiedzieć: «Nikt ci nie kazał mnie rodzić» albo «Ja się na świat nie prosiłem».Czasami zastanawiam się, jak często, może nawet nieświadomie, ranimy kogoś, dzięki komu stąpamy po tym świecie. Jak wielu rzeczy nie bylibyśmy w stanie poznać, gdyby nie ta jedyna osoba, która powiedziała naszemu życiu «tak». Dlatego tak ważna jest matka i jej święto. Dlatego warto choć raz w roku podejść do niej i powiedzieć: «Kocham cię!» Zrobić to, co z powodu mijającego szybko czasu wciąż nam umyka. Niech przynajmniej w ten dzień nasze mamy będą docenione. Kończąc moje przemyślenia chciałabym podziękować komuś, kto zawsze jest przy mnie, bez względu na pogodę i moje porażki – MAMIE".

(B. Błoch, Ziarno, 5/95)

Bogu bardzo zależy na tym, abyś kochał swoją mamę. W zamian za twą szczerą miłość obiecuje ci długie, dostatnie, dobre życie.

W Księdze Powtórzonego Prawa Bóg mówi:

„Czcij swego ojca i swoją matkę, jak ci nakazał Pan, Bóg twój, abyś długo żył na świecie i aby ci się dobrze powodziło na ziemi, którą ci daje Pan, Bóg twój".

(Pwt 5,16)

Mamo

Są takie jedyne dłonie na świecie,
dłonie, które nigdy się nie męczą,
które w znoju nigdy nie ustają –
dłonie matki.
Jest takie jedno jedyne serce,
serce, które zawsze kocha,
które kocha miłością najgłębszą –
serce matki.
Są takie jedyne oczy,
oczy najszczersze,
które wszystko wybaczą –
oczy matki.
Oddaję więc Tobie, Matko,
hołd i cześć największą,
dziękując Ci
za to, że jestem,
za noce nieprzespane
nad moją kołyską,
za BOGA wlanego w me serce,
za życie Twoje, dla mnie oddane,
dziękuję Ci za wszystko
MAMO.

(autor anonimowy, w: T. Śmiech, Z. Trzaskowski, Wszystkie twarze miłości w jednej twojej, Kielce 1995, s. 145)

Pomyśl:
- Co możesz zrobić, aby Dzień Matki trwał przez cały rok?
- Jeśli twoja mama nie żyje lub jej w ogóle nie znasz, o co chciałbyś dla niej prosić Pana Boga?
- Co robisz dla dzieci, które nie mają matki?

Zadanie:
1. Opisz jeden dzień życia, za który jesteś szczególnie wdzięczny swojej mamie.
2. Ofiaruj dzisiejszą wieczorną modlitwę w intencji twojej mamy i matek niedocenianych przez własne dzieci.

67. Dzień Dziecka – moje miejsce w rodzinie, społeczeństwie, Kościele

Hura, Dzień Dziecka! Lubimy go, jak dzień św. Mikołaja, jak dzień naszych imienin czy urodziny.

Dlaczego?

Bo cały świat kręci się wokół nas, jak ziemia wokół słońca. Dzieci bawią się w dorosłych, a dorośli robią wszystko, by sprawić im przyjemność. Trudno myśleć wtedy o nauce i szkole, a jeżeli już o szkole, to tylko po to, żeby być razem z innymi dziećmi. Jesteśmy ważni! Gdyby nas nie było, nie byłoby szkoły, rodzice nie mieliby pociechy, jaką jesteśmy. Dzień Dziecka przypomina wszystkim o nas i mobilizuje do pomnażania naszego szczęścia.

Jesteśmy kochani! Przez rodziców, rodzeństwo, przez Pana Jezusa. On, nawet gdy był zmęczony, pozwalał dzieciom przychodzić do siebie, dając je jako przykład dla starszych:

„Przynosili Mu również niemowlęta, żeby na nie ręce włożył, lecz uczniowie, widząc to, szorstko zabraniali im. Jezus zaś przywołał je do siebie i rzekł: «Pozwólcie dzieciom przychodzić do Mnie i nie przeszkadzajcie im: do takich bowiem należy królestwo Boże. Zaprawdę, powiadam wam: Kto nie przyjmie królestwa Bożego jak dziecko, ten nie wejdzie do niego»".

(Łk 18,15-17)

Do was należy królestwo niebieskie!

Do ciebie i tobie podobnych!

Być dzieckiem to być kochanym, ale też i kochać. Dzieciństwo to nie tylko czas brania, to czas dawania swojej miłości, dobroci i radości naszym rodzicom, nauczycielom, katechetom.

W Katechizmie Kościoła Katolickiego czytamy:

„Dzieciństwo to także pomoc rówieśnikom, którym się mniej udało. To czas dzielenia się z innymi tym, co posiadamy, zabawy z tymi, z którymi się mało kto bawi, pomocy dzieciom w potrzebie i obrony, jeśli trzeba. Być dzieckiem to być dorosłym w gronie swoich rówieśników".

(KKK 2217)

Dzieciństwo to ważny etap twojego życia.

Pomyśl:

- Czy dziękujesz za nie Bogu?
- Jak traktujesz swoich rodziców i tych, którym wiele zawdzięczasz?
- Co robisz, aby uczynić szczęśliwszym życie innych dzieci?

Zapamiętaj:

Bóg cię kocha. Doświadczasz miłości innych, bądź więc jej przedłużeniem wobec nich.

Pieśń:

Dzieckiem Bożym jestem ja,
la, la, la,la,la.

Ojciec Bóg kocha nas,
miłość swą zsyła nam.
Któż jak On wielki jest,
któż jak On miłość ma?

Święty Bóg, Ojciec nasz,
co dzień ma hojną dłoń,
kocha nas, dzieci swe,
mimo grzechów, mimo wad.

„Jesteś moim Bogiem, chcę Ci dziękować:
Boże mój, chcę Ciebie wywyższać.
Wysławiajcie Pana, bo dobry;
bo łaska Jego na wieki".

(Ps 118,28-29)

Zadanie:

Pomódl się dzisiaj za wszystkie dzieci, które czują się samotne i nie kochane przez rodziców czy rodzeństwo.

68. Idę z Jezusem przez życie

– Za co kochasz swojego idola? Może za jego sposób ubierania się, zachowanie, taniec na estradzie?

– Czego nie chciałbyś w nim naśladować?

Czy wiesz, że idol to nie to samo co ideał? Idola można naśladować ubiorem, fryzurą, sposobem odżywiania się, ale nie zawsze można i trzeba żyć tak jak on. Musisz poszukać kogoś, kto stanie się twym ideałem. Kogoś, kogo będziesz mógł naśladować w swoim życiu, i nie chodzi tylko o jego zewnętrzne cechy, ale przede wszystkim o jego postępowanie, sposób odnoszenia się do ludzi, przyjaciół i wrogów, bogatych i biednych, zdrowych i chorych.

Jeżeli pragniesz mieć w swoim życiu prawdziwy ideał do naśladowania, poznaj Jezusa! Nie jest On taki, jak twój idol, którego niewiele obchodzi twoje życie, zmartwienia, trudności. Idol pragnie tylko, abyś kupił jego płytę i bilet na koncert. A Jezusowi naprawdę na tobie zależy. Pragnie nadać sens twemu życiu. Chce, abyś stał się podobny do Niego, bo tylko wówczas możesz kochać i być naprawdę dobrym człowiekiem.

Zbliżają się wakacje, czas wyjazdów. Spakujesz plecak. Może wrzucisz do niego czyjeś zdjęcie.

- Kto będzie ci towarzyszył?
- Czy pozwolisz Jezusowi jechać razem z tobą?

Znać Chrystusa

– Tak, więc zachwyciłeś się Chrystusem?
– Tak.
– W takim razie na pewno dużo o Nim wiesz. Powiedz mi: w jakim kraju się urodził?
– Nie wiem.
– Ile miał lat, gdy umarł?
– Nie wiem.
– Wiesz przynajmniej, ile kazań wygłosił?
– Nie wiem.
– Prawdę mówiąc, wiesz bardzo mało jak na człowieka, który twierdzi, że zachwycił się Chrystusem.
– Masz rację. Wstydzę się, że tak mało o Nim wiem. Ale coś jednak wiem: Przed trzema laty byłem pijakiem. Miałem długi. Moja rodzina rozpadła się. Moja żona i dzieci bały się moich nocnych powrotów do domu. A teraz przestałem pić, nie mamy długów i nasz dom jest szczęśliwym domem, dzieci z tęsknotą wyglądają mojego powrotu. Wszystko to zrobił Chrystus dla mnie.
I to jest to, co wiem o Chrystusie.

(A. De Mello, Śpiew ptaka, Warszawa 1989, s. 138)

Giovanni Bellini – Chrystus błogosławiący

Pieśń:

On szedł w spiekocie dnia i w szarym pyle dróg,
a idąc uczył kochać i przebaczać.
On z celnikami jadł,
On nie znał, kto to wróg,
pochylał się nad tymi, którzy płaczą.
Mój Mistrzu, przede mną droga,
którą muszę przebyć tak jak Ty.
Mój Mistrzu, wokoło ludzie,
których kochać trzeba tak jak Ty.
Mój Mistrzu, niełatwo cudzy ciężar
wziąć w ramiona tak jak Ty.
Mój Mistrzu, poniosę wszystko,
jeśli będziesz ze mną zawsze Ty.
Idziemy w skwarze dnia i w szarym pyle dróg,
a On nas uczy kochać i przebaczać.
I z celnikami siąść, zapomnieć, kto to wróg,
pochylać się nad tymi, którzy płaczą.

Mój Mistrzu...

Zadanie:

Zrób wieczorem rachunek sumienia i zastanów się, czy odczuwasz pragnienie, aby naśladować Jezusa.

W podręczniku wykorzystano teksty pieśni i piosenek religijnych z następujących śpiewników:

J. Siedlecki, Śpiewnik kościelny, Kraków 2001;
Otwórzcie serca, „Światło-Życie" Warszawa 1996;
Śpiewajmy Panu pieśń nową. Śpiewnik Szkoły Nowej Ewangelizacji Św. Pawła w Kielcach, „Koinonia św. Pawła" Kielce 2000;
Śpiewnik pielgrzymkowy. Pójdę do nieba piechotą, „Apostolicum" Wydawnictwo Księży Pallotynów (b.r.w.);
Uwielbiajcie Pana. Modlitewnik i śpiewnik, red. ks. Z. Kras, Tarnów 1996.

Spis treści